Chères lectrices,

N'avez-vous paemblent
l'apanage des hom   la force
de caractère… aut   ne plus
facilement au mascu   nnment,
puisque — est-il be   ? — les femmes pos-
sèdent les mêmes atouts que le sexe opposé.

L'un de vos auteurs favoris, Penny Jordan, a d'ailleurs fort
bien remis en cause ces clichés dans « Vengeance et séduction »,
une minisérie qui commence ce mois-ci pour s'achever en jan-
vier. A travers cette saga, Penny Jordan s'attache à décrire le
destin de quatre héroïnes bien déterminées à venger l'honneur
perdu de l'une d'elles, abandonnée par son fiancé. Une histoire
qui pourrait sembler classique si l'homme en question n'était
un dangereux escroc qui, pour éviter d'être démasqué, a jeté
l'opprobre sur celle qu'il vient de trahir. Devant cette attitude
méprisable, les quatre amies décident de tendre un piège à ce
sinistre personnage afin de ruiner sa réputation et l'empêcher
ainsi de nuire à d'autres jeunes filles inexpérimentées.

En lisant « Vengeance et séduction », vous ferez donc la
connaissance de Beth, Kelly, Anna et Dee — quatre jeunes
femmes extraordinaires pour qui la loyauté, le sens de l'amitié
et de l'honneur ne sont pas de vains mots. Des qualités qui
ne les rendent pas moins féminines pour autant, puisque, au
cours de cette quête de justice et de vérité, chacune d'elles va
s'ouvrir à l'amour…

Je vous laisse à présent découvrir *Passion clandestine*
(n° 2350), le premier volume de cette passionnante saga.

Excellente lecture !

La responsable de collection

Une chance de bonheur

SANDRA FIELD

Une chance de bonheur

COLLECTION AZUR

Cet ouvrage a été publié en langue anglaise
sous le titre :
EXPECTING HIS BABY

Traduction française de
MARIE-NOËLLE TRANCHART

HARLEQUIN®

est une marque déposée du Groupe Harlequin
et Azur ® est une marque déposée d'Harlequin S.A.

1.

Une femme reposait dans le lit.

Une femme d'une incroyable beauté.

Médusé, Judd Harwood resta figé sur place, sans parvenir à détacher son regard du visage de la belle inconnue qui gisait entre ces draps blancs d'hôpital.

Il avait dû se tromper de chambre : c'était un homme qu'il cherchait, sûrement pas une jolie fille ! Mais il n'arrivait pas à se détacher d'elle, ne serait-ce que pour aller s'informer.

Elle avait l'épaule droite et le haut du bras enveloppés d'énormes pansements. Et comme son visage était pâle ! Par contraste, l'énorme contusion qui marquait sa mâchoire paraissait encore plus sombre. Ses doigts et ses ongles étaient également ecchymosés, et présentaient des traces noires. Que lui était-il donc arrivé ? Un accident de voiture ? Une chute sur les trottoirs verglacés ?

A moins qu'elle ne se soit fait battre par son mari, son amant ? A cette pensée, Judd crispa les poings, tandis que ses prunelles ardoise viraient au noir.

Sa réaction le surprit. Que lui arrivait-il donc ? Comment pouvait-il avoir envie de protéger une femme dont il ne savait rien ?

Il ne se lassait pas d'admirer ses sourcils à l'arc parfait, ses pommettes hautes et sa bouche sensuelle, faite pour les baisers. Le plus curieux, c'était que ce visage lui semblait familier. Dommage qu'elle soit endormie, car il aurait bien voulu voir ses yeux. Quant à ses boucles folles, elles étaient couleur flamme.

Flamme…

Des flammes. Furieux contre lui-même, Judd se demanda ce qu'il faisait ici. Au lieu de perdre bêtement son temps, il ferait mieux de chercher le pompier qui avait sauvé Emmy. Et après lui avoir exprimé toute sa gratitude, il pourrait retourner au chevet de sa fille.

En ce moment, Emmy, sous calmants, dormait profondément.

— Elle en a pour plusieurs heures, lui avait dit le médecin.

Mais si le praticien s'était trompé et que la petite s'éveillait plus tôt ? La pauvre Emmy se croirait abandonnée ; pour elle, ce serait terrible, surtout après cet épouvantable cauchemar qui avait failli lui coûter la vie.

Judd quitta la chambre et arrêta une infirmière dans le couloir.

— Excusez-moi, je cherche le pompier qui a été hospitalisé un peu plus tôt dans la soirée. Il a sauvé ma fille et je voudrais le remercier, mais je ne connais même pas son nom.

L'infirmière lui adressa un bref sourire.

— C'est une femme.

— Une femme ? répéta Judd avec incrédulité.

— Exact. Maintenant, il y a des femmes dans les équipes de pompiers. Celle que vous voulez voir se trouve dans la chambre 214, mais elle est sous médicaments et n'est pas près de reprendre conscience.

La chambre 214 ? Judd en venait.

— Si vous voulez lui parler, vous feriez mieux de revenir demain.

— Merci.

L'infirmière continua son chemin et Judd retourna dans la chambre qu'il venait de quitter. La femme n'avait pas bougé. Le drap se soulevait régulièrement au rythme de sa respiration. Il comprenait maintenant pourquoi ses ongles étaient noircis ! La fumée, évidemment.

C'était donc elle qui avait sauvé la vie d'Emmy, au péril de la sienne ?

Une fois de plus, Judd revit la terrible scène qui l'avait accueilli quand le taxi dans lequel il avait sauté à l'aéroport de Montréal l'avait amené chez lui.

L'enfer. L'enfer absolu. Sur la pelouse, des voitures de police, des ambulances, des camions de pompiers. Partout, des sirènes hurlantes, des projecteurs, des feux giratoires, des pompiers courant en tous sens, des haut-parleurs émettant des ordres, de puissants jets d'eau, des colonnes de fumée… Et des flammes.

Judd était resté pétrifié devant ce spectacle dantesque. Son cœur battait à grands coups précipités, si fort qu'il semblait dominer tout le vacarme des soldats du feu. Il avait peur. Ce n'était pas la première fois de sa vie qu'il avait peur, mais jamais il n'avait éprouvé une pareille terreur en imaginant Emmy prisonnière des flammes.

Sans réfléchir, il avait couru vers l'échelle qui permettait d'accéder à l'aile où habitait la famille. Quatre policiers avaient alors sauté sur lui pour l'empêcher de se précipiter dans le brasier.

Pendant qu'il se débattait furieusement, un pompier était apparu à la fenêtre. Il avait tendu à celui qui se tenait en haut de l'échelle une petite silhouette enveloppée dans une couverture ; Emmy était passée de mains en mains avant de se retrouver dans les bras de son père.

En montant dans l'ambulance, Judd avait jeté un coup d'œil en arrière. Juste au moment où une partie du toit s'effondrait dans une gerbe d'étincelles. Une poutre semi-calcinée atteignit le pompier qui avait réussi à trouver Emmy dans son lit et commençait à descendre l'échelle à son tour. Il vacilla et serait tombé si un autre pompier ne l'avait pas saisi *in extremis* par la manche de sa veste à larges rayures jaunes fluorescentes.

Les badauds avaient applaudi, tandis que Judd serrait Emmy encore plus fort contre lui.

Judd revint à la réalité présente dans un sursaut. Emmy avait inhalé beaucoup de fumée, mais elle était saine et sauve ; maintenant, sous l'effet des calmants, elle dormait à poings fermés. Il avait profité de ce moment de répit pour essayer de trouver le pompier auquel il devait tant.

Cette femme au si beau visage.

Maintenant, il savait pourquoi ce visage lui était familier : il lui rappelait celui d'Angeline, son ex-femme, un mannequin international qui, elle, n'aurait jamais accepté de se salir les mains.

Mais Judd ne voulait pas penser à Angeline, à son corps parfait, à ses yeux bleu nuit. D'ailleurs, ils n'avaient pratiquement plus de contact depuis quatre ans – depuis leur divorce.

La femme esquissa un faible mouvement. Elle battit des paupières et murmura quelques mots indistincts avant de retrouver son immobilité de statue.

Judd alla consulter la fiche d'identification fixée au bout du lit. Lise Charbonneau. Vingt-huit ans.

Il fronça les sourcils. Angeline s'appelait Charbonneau, elle aussi. Et il se souvenait vaguement de sa jeune cousine Lise ; il l'avait vue à leur mariage, quinze ans auparavant.

Impossible que cette Lise Charbonneau et ce pompier soient une seule et même personne ! La coïncidence serait par trop extraordinaire.

Pourtant, à treize ou quatorze ans, Lise avait elle aussi des boucles folles, couleur flamme, de hautes pommettes, la grâce un peu gauche d'un poulain et de merveilleux yeux verts, légèrement en amande.

Judd réfléchissait. Si ses souvenirs étaient exacts, Lise vivait à l'époque chez la mère d'Angeline, Marthe. Ses parents étaient morts tragiquement — dans un incendie, lui semblait-il… Etait-ce pour cela que Lise avait choisi ce métier si difficile ?

La cousine d'Angeline sauvant la fille de celle-ci… Quel coup du sort !

Cela lui fit penser qu'il devait contacter son ex-femme sans tarder. Autant éviter qu'elle apprenne par les médias que sa fille avait failli périr dans un incendie.

Lise Charbonneau gémit de nouveau. Peu à peu, elle reprenait conscience. Judd pressa le bouton d'appel situé près de l'oreiller, en résistant à la tentation de caresser au passage ces cheveux d'or roux.

— L'infirmière va venir, dit-il.

Elle souleva les paupières, les referma, s'efforça de les rouvrir. Ses yeux étaient d'un étonnant vert émeraude.

Lise parvint à distinguer, dans une sorte d'épais brouillard, une silhouette masculine penchée au-dessus de son lit. Abrutie par les calmants et la douleur lancinante, elle s'efforça de fixer son regard. Peu à peu, la vision se précisa et elle le reconnut.

Judd. Judd Harwood.

Il était donc enfin venu à elle, le prince charmant de ses rêves, celui qui, pendant des années, avait occupé toutes ses pensées d'adolescente timide et silencieuse ! A l'époque, elle était un vilain petit canard mal dans sa peau contraint de vivre dans l'ombre du cygne Angeline.

Lise avait donné son cœur à Judd. Mais lui ne pensait qu'à Angeline. Et même quand il avait épousé le cygne, Lise avait

11

continué à rêver. Judd était si beau, si intelligent, il y avait tant de chaleur en lui, tant de vitalité…

Mais ses illusions d'adolescente s'étaient vite heurtées à la dure réalité des adultes.

Car Angeline parlait à tout le monde des problèmes que lui causaient les infidélités de son mari. Et non content d'être déloyal, Judd s'était montré très cruel ! Au moment du divorce, cet homme — piètre mari et piètre père — s'était arrangé pour obtenir la garde de la petite Emmy. Toujours absent de chez lui, Judd ne songeait qu'à ses affaires. Soit, cela lui permettait d'amasser une fortune. Et, parallèlement, de collectionner les conquêtes !

Que faisait-il près de son lit ? D'ailleurs, où se trouvait-elle ? Cette chambre, elle ne la reconnaissait pas. Et pourquoi avait-elle mal partout ?

En tout cas, c'était bien Judd. Elle reconnaissait sa mâchoire volontaire, son nez aquilin, ses épais cheveux sombres maintenant parsemés de quelques fils d'argent, ses yeux dont la nuance changeait selon ses humeurs, allant du bleu-gris très pâle au noir d'orage, en passant par le gris ardoise.

— Où suis-je ? commença-t-elle.

— Chut ! Je viens d'appeler l'infirmière.

Elle reconnut sa voix à la fois rauque, chaude et veloutée. Une voix qui, autrefois, avait le pouvoir de la troubler jusqu'au plus profond d'elle-même.

— Ne bouge pas, elle va venir tout de suite.

— Mais que…

La porte s'ouvrit et une femme en blouse blanche apparut. En vérifiant le pouls de la malade, elle demanda :

— Vous souffrez encore beaucoup ?

C'était plus une affirmation qu'une question. Et sans attendre la réponse, l'infirmière décréta :

— Je vais vous faire une autre injection. Il faudra attendre quelques minutes avant que le médicament produise son effet.

Se tournant vers Judd, elle demanda :

— Ça ne vous ennuie pas de rester jusqu'à ce qu'elle se rendorme ?

— Pas du tout.

Après le départ de l'infirmière, Judd s'éclaircit la voix.

— Tu es bien cette Lise Charbonneau que j'ai rencontrée il y a des années ? La cousine d'Angeline ? Te souviens-tu de moi ?

Quelle question !

— Judd Harwood, crut-il utile de préciser.

La jeune femme ferma les yeux.

— Je n'ai pas envie de parler.

Elle s'était promis, si un jour le hasard la remettait en présence de Judd, de lui dire tout le mal qu'elle pensait de lui. Mais elle se sentait trop faible en cet instant. Les mots refusaient de franchir ses lèvres et elle avait l'impression que sa tête était en coton.

— Je n'ai pas envie de te parler, répéta-t-elle. Je n'ai rien à te dire.

Il se pencha.

— Lise...

— Va-t'en.

— Je reviendrai demain matin. Mais laisse-moi au moins t'exprimer ma reconnaissance...

Pourtant les mots semblaient si faibles en comparaison de ce qu'il éprouvait !

— Tu as sauvé ma fille, Lise. Jamais je ne pourrai assez te remercier.

Elle rouvrit les yeux. Le souvenir de ces moments d'horreur lui revenait. Elle se revoyait passer de chambre en chambre avant de monter tout en haut pour trouver l'enfant recroquevillée dans un coin.

— Le feu... c'était chez toi ?

— Oui.

13

— On m'avait seulement dit que le propriétaire était absent et qu'il n'y avait dans la maison qu'une employée et une petite fille.

— Ma fille : Emmy.

— C'est aussi la fille d'Angeline, lui rappela Lise.

Judd haussa les épaules.

— Emmy n'avait pas trois ans quand Angeline m'a quitté.

— Tu lui as refusé la garde d'Emmy.

— Elle ne voulait pas s'occuper d'elle.

— Ce n'est pas ce qu'elle m'a dit.

— Ecoute, ce n'est pas le moment de revenir sur les circonstances du divorce. Tu as sauvé Emmy.

Dans un geste chaleureux, il prit l'une de ses mains entre les siennes avant d'ajouter :

— Merci. Voilà tout ce que je voulais te dire.

Le contact des doigts de Judd sur les siens lui fit l'effet d'un choc électrique.

— Je n'ai pas besoin de tes remerciements ! s'écria-t-elle, furieuse d'avoir des réactions de collégienne.

Ridicule, à vingt-huit ans sonnés. D'autant plus que Judd ne représentait plus rien pour elle. Rien ! Elle voulut se dégager, mais ce simple mouvement lui causa une telle douleur dans le bras qu'elle ne put retenir un gémissement.

— Ne bouge pas, fit Judd. Pourquoi me regardes-tu ainsi ? On dirait que tu me hais.

Etait-il donc complètement aveugle ?

A son grand soulagement, il la lâcha enfin.

— Tu connais bien Angeline, déclara-t-il d'une voix neutre. Vous avez pratiquement été élevées ensemble.

— Je l'adorais. C'était mon modèle. Et elle a su se montrer très gentille à un moment où j'avais besoin d'aide.

Gentille, Angeline ? se reprit-elle intérieurement. En réalité, il s'agissait plutôt d'une indulgence amusée, presque hautaine.

Et seulement quand cela lui convenait. Lise se rendait compte de tout cela avec le recul. Malgré tout, elle devait quand même admettre qu'à une époque où elle se sentait très seule, sa cousine lui avait appris à danser, à se maquiller. Elle lui avait aussi expliqué comment se comporter avec les garçons. Personne ne s'était occupé d'elle à ce point. Sûrement pas sa tante Marthe !

— Tu l'adorais…, murmura Judd. L'adoration n'aide pas à y voir clair.

L'injection commençait à faire son effet. La douleur diminuait, les paupières de Lise s'alourdissaient, elle avait l'impression que tout son corps se transformait en plomb. Tout ce qu'elle souhaitait, maintenant, c'était que Judd s'en aille. Mais il ne partait pas ! Et voilà qu'un autre visiteur venait d'arriver : Dave McDowell, l'un de ses collègues. Elle l'accueillit avec soulagement.

— Tu as l'air épuisé, commenta-t-elle d'une voix qui semblait venir de très loin. Heureusement que tu étais sur l'échelle pour m'attraper au vol.

— Oui. Tu m'as fait drôlement peur. Toi et les consignes de sécurité, ça fait deux !

— Par moments, il faut savoir les oublier. La petite fille ne se trouvait pas dans sa chambre. Je l'ai cherchée partout et je l'ai enfin trouvée dans la pièce du haut. Forcément, tout ça m'a pris du temps.

Judd se mordit la lèvre inférieure presque jusqu'au sang. Emmy lui avait confié qu'elle allait dormir à l'étage quand elle se sentait seule. Or il s'était absenté pendant quatre jours. Si sa fille était morte dans l'incendie parce qu'on n'arrivait pas à la trouver, jamais il n'aurait pu se le pardonner.

Mieux valait ne pas penser à cela. Il se tourna vers Dave et lui tendit la main.

— Judd Harwood, se présenta-t-il brièvement. C'est ma fille que Lise a sauvée. Vous étiez en haut de l'échelle ? A vous aussi, je dois beaucoup de remerciements.

Dave lui serra la main avec chaleur.

— Dave McDowell. Lise et moi formons une bonne équipe. Le problème, c'est qu'elle oublie parfois le règlement.

— S'il fallait toujours le suivre à la lettre…, dit la jeune femme d'une voix faible.

— Un jour, cette attitude risque de te coûter cher.

— Tant pis ! Ecoute, Dave, je l'ai sortie de là, non ?

— Tu es impossible ! s'exclama Dave en montrant le bouquet qu'il avait jusque-là caché derrière son dos.

Voyant que les fleurs étaient en bien triste état, il fit la grimace.

— Elles ne vont pas durer longtemps. Heureusement que tu sors demain — c'est du moins ce qu'on m'a dit en bas, à la réception.

— Tu viendras me chercher ?

— Bien sûr.

— Merci.

— Je pourrai même faire le ménage chez toi.

En dépit de l'engourdissement qui l'envahissait, Lise réussit à paraître choquée.

— Oh, le désordre ne me dérange pas tant que ça. On peut le considérer comme le reflet d'un esprit créatif.

— Ou comme celui de quelqu'un qui préfère lire des policiers plutôt que d'astiquer.

Judd toussota. Sans qu'il puisse comprendre pourquoi, il se sentait vaguement en colère, pour ne pas dire jaloux de la complicité qui existait entre ces deux-là.

Cependant, en quoi cela pouvait-il le regarder que Dave et Lise soient amis ? Amants, peut-être ? Lise Charbonneau avait sauvé Emmy, mais à part cela, elle ne représentait rien pour lui.

Même si elle était belle. Plus belle qu'Angeline. Et pourtant, ses traits n'avaient pas la perfection absolue de ceux de son ex-femme.

16

— Je vais passer la nuit à l'hôpital, près d'Emmy, dit-il. Je passerai prendre de tes nouvelles demain matin, Lise.

— Ce n'est pas la peine. Tu m'as remerciée, n'en rajoute pas.

Dave McDowell haussa les sourcils, visiblement surpris d'entendre sa coéquipière s'exprimer ainsi.

Judd ne se laissa pas démonter pour autant.

— Je passerai prendre de tes nouvelles demain, répéta-t-il.

A l'adresse de Dave, il ajouta :

— Encore merci. Votre équipe a fait un beau travail.

Sur ces mots, il sortit et se dirigea vers l'ascenseur. Il n'avait pas l'habitude de se faire rembarrer de la sorte. Réflexion faite, cela ne lui arrivait pratiquement jamais. Les femmes semblaient d'ordinaire le trouver à leur goût. Il était séduisant, intelligent, il avait de l'argent… Que pouvaient-elles demander de plus ?

D'ordinaire, c'était lui qui décidait du moment de la rupture. Poliment, diplomatiquement, certes, mais la séparation n'en était pas moins effective.

Lise Charbonneau le détestait, c'était clair. A peine consciente, elle avait su trouver l'énergie de lui dire qu'elle le considérait plus bas que terre. Tout cela à cause d'Angeline — qui, elle, l'avait laissé tomber sans la moindre considération ! A l'époque, ça lui avait fait mal. D'autant plus qu'il avait fait tout ce qui était en son pouvoir pour que ce mariage branlant ne sombre pas.

Quel gâchis !

Maintenant, quand une femme voulait devenir trop proche ou — pire ! — semblait penser au mariage, il s'empressait de rompre.

Demain, dès la première heure, il lui faudrait téléphoner à Angeline. Elle devait être en France, dans ce château de la Loire, propriété de son second mari Henri — un homme qui n'avait pas une plus grande fortune que la sienne, mais qui pouvait s'enorgueillir d'avoir des origines aristocratiques.

S'il pensait rarement à Angeline, Judd se remémorait encore moins ses propres débuts dans la vie, dans un quartier modeste de New York.

Lorsqu'il arriva dans la chambre d'Emmy, ce fut pour constater que l'enfant dormait toujours aussi paisiblement.

La petite fille avait hérité du ravissant visage de sa mère et de ses extraordinaires yeux bleu nuit. Mais c'était de lui qu'elle tenait ses cheveux noirs et sa vivacité d'esprit. Lorsque Judd lui caressa tendrement les cheveux, elle ne bougea pas. Il se souvenait à présent qu'il avait eu envie de caresser de la même manière les cheveux de Lise.

De la même manière ? Non. Ses motivations avaient été bien différentes.

Et il avait déjà l'intuition qu'il aurait l'envie de revoir souvent la jeune femme. Même si, malheureusement, il y avait un certain Dave McDowell dans sa vie…

Il s'allongea dans le lit voisin de celui d'Emmy et tenta de dormir. Le sommeil fut très long à venir. Son esprit ne cessait de travailler. Le lendemain, mille tâches l'attendaient : il allait devoir contacter les assureurs, l'architecte, les entrepreneurs… Il n'avait pas, en plus, besoin de penser à une femme aux boucles couleur flamme qui le traitait avec un incroyable mépris.

Il n'arrivait toujours pas à trouver le sommeil. Deux images s'imposaient à son esprit. Celle d'Emmy dormant à l'étage parce qu'elle se sentait seule. Et celle des mains noires de fumée de Lise.

Trois jours s'étaient écoulés depuis l'incendie. L'épaule de Lise lui faisait toujours horriblement mal. Et comme elle était en arrêt de travail — forcément ! —, elle n'en pouvait plus de tourner en rond.

Jamais de sa vie elle ne s'était sentie aussi inutile. Il était déjà midi et qu'avait-elle fait de sa matinée ? Pratiquement rien. Elle avait pris une douche, puis après avoir fait son lit avec difficulté, elle était descendue à la supérette. La tâche pourtant simple de ranger ses achats lui avait pris un temps fou, puisqu'elle ne pouvait utiliser que son bras gauche.

Pour tout arranger, elle dormait à peine, et quand elle ne regardait pas la télévision, elle lisait pendant des heures. Si bien que maintenant ses yeux aussi lui faisaient mal.

Elle traîna une chaise sous un placard de la cuisine, monta dessus et, de sa bonne main, s'empara d'un paquet de riz. Au moment où elle s'apprêtait à descendre de son perchoir, son épaule droite heurta la porte du placard. En laissant échapper un cri de douleur, elle laissa tomber le paquet de riz qui s'ouvrit, aspergeant d'une pluie de grains translucides les plans de travail et le carrelage.

A force de travailler au sein d'une équipe masculine, Lise connaissait beaucoup de gros mots. Mais aucun ne lui parut suffisamment fort pour exprimer sa colère et son découragement. Alors, elle se mit à pleurer.

Que lui arrivait-il ? Pourquoi un tel accès de désespoir ?

Au fond d'elle-même, elle le savait bien. Elle avait besoin de changement, c'était aussi simple que cela. D'ailleurs, ce n'était pas la première fois qu'elle se le disait.

Il y avait maintenant dix ans qu'elle travaillait avec les sapeurs-pompiers de Montréal. Que savait-elle faire, à part travailler en équipe avec ses collègues ? Pas grand-chose. Elle ne possédait pas de diplôme universitaire, n'avait pas une once de talent artistique et le commerce la rebutait. Tout comme le secrétariat ou la comptabilité. C'était tout juste si elle réussissait à tenir son carnet de chèques à jour.

Elle regarda autour d'elle et ses larmes redoublèrent. Elle n'était pourtant pas du genre à s'apitoyer sur elle-même. Mais sa situation lui parut soudain sans issue. Il y avait du riz partout, l'évier était plein de vaisselle sale, elle n'avait qu'un bras valide, son épaule la faisait souffrir plus que jamais et elle ne se sentait aucune énergie pour faire face à tous ces soucis.

Elle était en train de s'essuyer les yeux à l'aide d'un mouchoir en papier quand on sonna.

C'était bien le moment ! Qui venait la déranger en plein milieu d'une crise de larmes ?

Elle jeta un coup d'œil à travers le judas. Son visiteur était bien la dernière personne au monde qu'elle souhaitait voir !

Elle ouvrit brusquement.

— Que fais-tu ici, Judd ? Et comment as-tu pu entrer en bas ?

— J'ai attendu que quelqu'un passe. Tu n'as pas l'air très en forme, Lise.

— Si c'est pour m'apprendre ça que tu es venu, tu peux aussi bien repartir d'où tu viens. Au revoir et bon vent !

Elle s'apprêtait à lui claquer la porte au nez, mais il ne lui en laissa pas le temps : du pied, il avait bloqué le battant.

— Va-t'en ! cria-t-elle.

— J'ai un service à te demander.

— Adresse-toi à quelqu'un d'autre.

— C'est pour Emmy, pas pour moi. Tu peux au moins m'écouter avant de refuser !

Sur ce, il pénétra dans l'appartement alors que Lise aurait bien voulu le repousser. En temps ordinaire, elle n'aurait pas hésité. Mais avec un seul bras valide, elle se sentait en état d'infériorité. Et de toute manière, même avec deux bras, le rapport de forces aurait été par trop inégal.

— Qu'as-tu à me dire ? demanda-t-elle d'un ton rogue. Fais vite.

— Tu as pleuré.

— Ça te regarde ? Quel service veux-tu que je rende à Emmy ?

— Qu'est-ce qui ne va pas, Lise ?

Elle explosa.

— Rien ne va, bon sang ! Je suis en arrêt de travail, j'ai mal à l'épaule, je ne peux pas utiliser mon bras droit et j'en ai assez de rester enfermée ici devant la télévision. Et tu veux que je te rende service ? Tu te moques de moi !

— Pas du tout. Je…

Elle l'interrompit.

— Oh, arrête ! J'ai lu des centaines d'articles à ton sujet dans les magazines. Il y a eu des pages entières sur toi dans *Fortune* et le *Time* sur tes maisons de rêve, tes voitures, tes avions, tes relations, tes conquêtes… Ne viens pas me dire qu'un homme comme toi aurait besoin de quelqu'un comme moi ?

Amusé, Judd lança :

— On prétend que les rousses ont un tempérament tout feu, tout flamme. C'est bien vrai ! Ecoute, on ne peut pas s'asseoir

21

tranquillement devant un café et avoir une conversation raisonnable ?

— Je ne me sens pas raisonnable quand tu es dans les parages.

— Intéressant.

— Si tu veux savoir, monsieur Judd Harwood, je ne t'aime pas. Je sais comment tu as traité Angeline et je ne te le pardonnerai jamais. Alors, les petites conversations tranquilles entre nous… Non, merci !

Elle frappa du pied.

— Dis-moi en vitesse ce qui t'amène. Puis du balai, d'accord ?

— Je partirai quand je l'aurai décidé.

— Le numéro du macho, maintenant ! Tu sais, des gros durs, j'en côtoie assez parmi mes collègues pour ne pas en vouloir à la maison.

Sans se laisser démonter, Judd éclata de rire.

— Il t'arrive quelquefois de laisser ton interlocuteur en placer une ?

Comprenant qu'elle n'arriverait pas à se débarrasser de lui aussi aisément qu'elle le pensait, Lise demanda avec résignation :

— Café normal ou décaféiné ?

— Comme tu veux. Je m'en occupe. Où est la cuisine ?

— Non, je vais le faire moi-même. J'en ai pour un instant.

— Tu ne veux pas que j'aille dans ta cuisine ? Pourquoi ? Il y a un homme caché dans le placard ?

Elle ne put s'empêcher de rire.

— Il n'y serait pas très à l'aise, le pauvre.

Judd la suivit dans la cuisine. Il examina les lieux en haussant les sourcils.

— Dave t'avait pourtant promis de faire le ménage, l'autre jour. Le moins qu'on puisse dire, c'est qu'il n'a pas l'air très doué.

— Dave n'habite pas ici.

— C'est ton amant ?

— En quoi cela te regarde-t-il, s'il te plaît ? De quel droit te permets-tu de me poser une question pareille ?

— Etes-vous amants, tous les deux ? insista-t-il.

— Désolée, ce n'est pas ton affaire. Café noir ou café au lait ?

— Noir, s'il te plaît. Sans sucre mais avec du miel si tu en as. Que s'est-il passé ici ? Tu t'amuses à jeter du riz dans tous les coins ?

— Je me suis cogné l'épaule, j'ai laissé tomber le paquet de riz… et voilà le résultat.

— On prétend que le riz est un symbole de fertilité. C'est ce qu'on lance aux mariages, non ?

— On n'en avait pas lancé au tien.

— Non. Angeline avait préféré des confettis dorés. Le riz, c'était trop ordinaire pour quelqu'un comme elle.

Au contraire de Judd, Angeline ne voulait pas d'enfants : elle tenait trop à la perfection de sa silhouette pour risquer de la déformer. La naissance d'Emmy avait été un accident de parcours, comme disait son ex-femme.

Lise crut voir le visage de Judd s'assombrir. Cela ne dura qu'une fraction de seconde et elle se demanda si elle n'avait pas rêvé.

— Où ranges-tu ton aspirateur ? demanda-t-il. C'est dangereux, tout ce riz sur le carrelage. Autant nettoyer avant que tu ne glisses dessus.

Lise n'en crut pas ses oreilles. Quoi, cet homme qui possédait plusieurs grandes compagnies d'aviation s'apprêtait à passer l'aspirateur dans sa cuisine ?

Dans toutes ses rêveries d'adolescente, jamais elle ne l'aurait imaginé se livrant à une tâche aussi ordinaire. Elle le voyait plutôt se jetant à ses pieds et lui avouant son amour passionné avant de la prendre dans ses bras pour l'emmener loin de Marthe, loin de la pompeuse maison en briques où elle avait grandi, loin du salon impeccable où elle se sentait toujours en visite, loin des rendez-vous avec ce dentiste sadique qui serrait chaque fois un peu plus l'appareil dentaire censé redresser des dents pourtant plantées fort correctement.

— Où est l'aspirateur ? insista-t-il.

— Dans le placard de l'entrée. Pendant que tu vas le chercher, j'essuierai les plans de travail.

— Tu n'as qu'à laisser tomber le riz par terre, j'aspirerai tout.

Elle le suivit des yeux, troublée malgré elle. Elle n'avait plus quinze ans ! Pourtant, il avait suffi que Judd pousse sa porte pour que sa crise de désespoir disparaisse comme par enchantement.

Elle était en train de nettoyer les plans de travail quand Judd revint. Il avait ôté sa veste et roulé les manches de sa chemise sport en coton bleu, fraîchement repassée. En jean, il ressemblait tant au Judd d'antan que le trouble de la jeune femme décupla.

Elle s'éclaircit la voix.

— Je ne peux pas encore utiliser mon bras droit. Ce n'est pas commode, je t'assure.

— Une fracture ? Une foulure ?

— Oh, non, rien de grave ! Juste une épaule en Technicolor… Quand Dave m'a attrapée au vol, elle s'est déboîtée.

— Aïe !

— On l'a remise en place à l'hôpital.

— Aïe !

— Ce n'était pas une partie de plaisir. Mais si je m'étais écrasée sur le sol, les dégâts auraient été sûrement plus importants.

— Sûrement, murmura-t-il.

Il l'enveloppa du regard. Elle portait un T-shirt qui avait rétréci d'au moins deux tailles dans le séchoir. Un T-shirt turquoise imprimé, juste au niveau de ses seins, d'une série d'oiseaux de paradis orange. Quant à l'hématome de sa mâchoire, il avait viré au jaune-violet.

— Il n'y a pas que ton épaule qui est en Technicolor, remarqua Judd.

« Quelques beaux bleus. Rien de tel pour impressionner l'homme de sa vie », pensa la jeune femme avec ironie.

A voix haute, elle déclara :

— Je vais sortir de la cuisine pendant que tu passes l'aspirateur. Cette pièce est trop petite pour qu'on y tienne à deux.

— C'est pour ça que tu ne t'es jamais mariée ?

Elle lui adressa un regard meurtrier.

— Pourquoi as-tu trompé Angeline ?

— Je ne l'ai pas trompée.

Lise regarda à ses pieds avec dégoût.

— Qui aurait jamais pu penser qu'un paquet de riz pouvait causer de pareils dégâts ?

— Tu changes de sujet ?

— Euh… non.

Judd l'observait toujours.

— Tu es si belle ! s'écria-t-il avec une soudaine violence.

La jeune femme se sentit rougir. Pourtant, elle savait qu'il ne parlait pas sérieusement. Impossible ! Comment un homme qui avait l'habitude de flirter aurait-il pu changer du jour au lendemain ?

— N'importe quoi ! Belle, moi ? Je suis horrible.

— « Merci, Judd. » Voilà ce qu'une dame bien élevée répond.

— Je sais ce que valent tes compliments. Ils sont aussi hypocrites et mensongers que les promesses que tu as faites le jour de ton mariage.

Judd se redressa de toute sa hauteur.

— Tant que j'ai été le mari d'Angeline, je lui ai été fidèle.

— Menteur.

— Ecoute, tu ferais mieux de sortir pendant que je travaille. Comme tu l'as fait très justement remarquer il y a un instant, cette cuisine est très exiguë.

Sans répondre, Lise alla s'enfermer dans la salle de bains. Elle brossa ses boucles rebelles et troqua son T-shirt trop étroit contre un autre trop large.

Après avoir examiné son reflet d'un air critique, elle songea qu'elle était beaucoup plus décente ainsi. Puis elle fronça les sourcils en voyant ses yeux briller d'une lueur inhabituelle dans son visage aux joues rosies.

« Arrête, se dit-elle. Judd Harwood est loin d'être l'homme idéal que tu imaginais autrefois. »

Le problème, c'était qu'il restait incroyablement séduisant. Quelle injustice ! Pourquoi fallait-il que toutes les femmes lui tombent dans les bras ? Il réussissait même à la troubler, alors qu'elle savait à quoi s'en tenir sur sa personnalité.

Le temps aidant, elle avait réussi à l'oublier. Et l'ironie du sort avait voulu que ce soit justement sa fille qu'elle sauve des flammes !

Mais tout n'allait pas recommencer. Ah, non, aucun risque ! Lise Charbonneau n'avait plus rien d'une adolescente éblouie par le premier play-boy venu.

Le ronronnement de l'aspirateur cessa. Il ne restait plus à la jeune femme qu'à retourner dans la cuisine pour remercier poliment son homme de ménage.

Ce qu'elle fit. Puis elle prit la boîte métallique dans laquelle elle gardait le café.

— C'est de la farine, lui fit remarquer Judd.

— Même si c'est écrit « farine » sur le couvercle, c'est là-dedans que je stocke mon café.

Pas facile d'ouvrir une boîte avec une seule main valide… Judd remarqua tout de suite ses efforts infructueux.

— Laisse-moi faire. Où est le moulin à café ?

La jeune femme esquissa un sourire sarcastique.

« Celui qui nous verrait en ce moment pourrait penser que nous sommes mariés. »

— A quoi penses-tu ? demanda Judd.

— A rien.

Elle désigna l'un des placards supérieurs.

— Tu trouveras le moulin ici. Ne fais pas attention au désordre.

Lorsqu'il ouvrit la porte, deux paquets de biscuits lui tombèrent sur la tête.

— Tu vis aussi dangereusement chez toi qu'au travail.

Elle eut un geste agacé.

— Tu es venu pour tout critiquer ? Je croyais que tu voulais que je te rende un service.

— *Primo*, le café. *Secundo*, la conversation sérieuse.

Avec une mauvaise grâce évidente, Lise sortit la cafetière et les filtres, les tasses… Il ne fallut pas plus de quelques secondes à Judd pour mettre tout en place.

— Tu es très organisé, dit-elle du bout des lèvres.

— C'est comme ça qu'on réussit dans la vie. Il faut savoir ce qu'on veut et se donner les moyens de l'obtenir.

— C'est ta philosophie ?

— Elle ne te plaît pas ?

— Ceux que tu piétines en cours de route afin d'obtenir ce que tu veux, que deviennent-ils ?

— Mais tu me considères comme un véritable monstre !

Son ton changea.

— Bon, le café est en route. Venons-en au reste. Voilà…

Il croisa les bras.

— Depuis l'incendie, Emmy a des cauchemars. Elle se réveille en hurlant. Elle revoit les flammes et croit qu'un homme masqué court après elle pour lui faire mal. Si tu pouvais la voir, lui expliquer comment les choses se sont passées… Tu portais un masque pendant l'intervention, non ?

La jeune femme hocha la tête.

— Oui, j'avais un masque à oxygène. Et des vêtements assez volumineux, comme mes collègues. Impossible de deviner que j'étais une femme. Je reconnais avoir pu l'effrayer.

— Accepterais-tu de venir à la maison ?

Judd rejeta ses cheveux en arrière dans un geste familier. Cet homme très sûr de lui paraissait soudain mal à l'aise.

— Je me rends compte que je te demande beaucoup. Ça ne doit pas t'amuser de parler de ton travail pendant ton temps libre. Mais quand je l'entends hurler la nuit…

Sa voix se brisa. Etait-il vraiment capable d'éprouver des émotions ou tout cela n'était-il que comédie ?

Lise n'hésita pas.

— D'accord, je viendrai. Peut-être pourrai-je l'aider.

Tout en disant cela, elle savait qu'elle s'aventurait sur un terrain dangereux. Au lieu de se rapprocher de Judd Harwood, elle aurait cent fois mieux fait de le fuir.

— Tu acceptes ? demanda-t-il avec stupeur.

Elle parut choquée.

— Tu croyais que j'allais refuser ?

— Je le craignais.

— Tu me considères comme un véritable monstre ! lança-t-elle, le parodiant. Bon, quand veux-tu que je vienne ? Aujourd'hui ?

— Le plus tôt sera le mieux. Elle rentre de l'école vers 16 heures.

— J'arriverai une demi-heure plus tard. Ça ira ?

— Tu penses ! Tu es vraiment gentille.

— Gentille ?

— Le mot est mal choisi. Généreuse ?

La jeune femme eut un sourire sans joie.

— C'est une enfant. Et je sais que…

Brusquement, elle s'interrompit.

— Tes parents sont morts dans un incendie, n'est-ce pas ? demanda Judd.

Elle détourna la tête.

— Je t'ai dit que je viendrai. Ce n'est pas suffisant ? Inutile de me bombarder de questions.

— Je t'enverrai un taxi.

— Je peux en trouver un toute seule.

— Tu es trop indépendante.

— Tu trouves ?

Elle eut un sourire moqueur.

— Pour moi, c'est un compliment.

Elle voulut prendre le plateau juste au moment où Judd allait s'en emparer. Leurs doigts se frôlèrent.

Quand il lui caressa la joue, elle retint sa respiration, plus troublée que jamais.

— Tu représentes une énigme pour moi, murmura-t-il.

Ils étaient si proches l'un de l'autre qu'elle eut soudain l'impression de se noyer dans ses yeux. Les battements de son cœur s'accélérèrent follement.

Quand Judd la prit par la taille et l'attira contre lui, elle tenta de le repousser de sa main valide. En vain...

Il baissa la tête. Alors, elle retint sa respiration, en proie à mille sentiments où se mêlaient la terreur et la joie. Elle savait qu'il allait l'embrasser.

— Non, fit-elle d'une voix étranglée.

Pour toute réponse, il lui prit les lèvres dans un baiser sans fin. Les yeux clos, Lise s'abandonna. En cet instant, elle ne savait plus qui elle était. L'adolescente follement amoureuse ? La femme pleine de haine et de mépris pour un homme sans scrupule ? A vrai dire, tout se mélangeait, les rêves et la réalité.

Ses sens ne lui obéissaient plus. Souple, douce et déjà soumise, elle se lovait contre ce corps tout en muscles.

29

Au fond d'elle-même, cependant, elle savait qu'elle jouait avec le feu. Elle venait de franchir une limite dangereuse et elle crut entendre la voix de Dave :

— Toi et les consignes de sécurité…

Elle eut alors l'impression de recevoir une douche froide, tandis que l'image de Dave s'interposait entre Judd et elle.

Combien de fois s'était-elle demandé si Dave n'était pas en train de tomber amoureux d'elle ? C'était, en tout cas, son meilleur ami. Celui sur lequel elle pouvait compter en toutes circonstances.

On ne pouvait pas en dire autant de Judd !

Comment avait-elle pu se laisser embrasser de cette manière ? Quelle honte !

Elle réussit à se dégager, mais un faux mouvement lui arracha un cri de douleur.

— Lise ? Que t'arrive-t-il ?

— Laisse-moi tranquille ! s'écria-t-elle avec désespoir.

Dès qu'il la lâcha, elle alla se réfugier le plus loin possible de lui.

— Tu n'avais pas besoin de m'embrasser. Ne t'avais-je pas promis d'aller voir Emmy ?

Il laissa échapper un rire sardonique.

— Tu penses que ce baiser, c'était pour sceller le marché ?

— Que veux-tu que je pense d'autre ?

— Si tu veux savoir, je t'ai embrassée parce que j'en ai eu envie. Parce que tu es très belle, très généreuse, très courageuse… tout en ayant un caractère épouvantable. Un vrai chat sauvage !

D'une voix changée, il poursuivit :

— Ta peau est si douce, tes lèvres sont si douces…

Lise devint cramoisie. Judd ne s'était peut-être pas toujours montré sincère, mais elle devinait qu'en cet instant, il l'était *vraiment*.

— Tu… tu ne peux pas agir ainsi, balbutia-t-elle. Tu étais le mari de ma cousine.

30

Avec honnêteté, elle enchaîna :

— Je ne te trouve même pas sympathique. Et nous vivons dans des mondes tellement différents !

— Lise…

— Je t'ai dit que j'irai voir Emmy cet après-midi, coupa-t-elle. J'espère trouver le moyen de la rassurer. Après cela, tu partiras de ton côté et moi du mien, d'acord ?

— Réponds-tu aux baisers de Dave comme tu as répondu au mien ?

— Je te l'ai déjà dit : ça ne te regarde pas.

— Sois franche, Lise.

Elle lui fit face.

— Qu'y a-t-il entre nous ? Rien. A part une simple attirance physique, peut-être… Tu crois que je suis fière de moi ? Embrasser un homme que je méprise…

— Comment peux-tu me mépriser ? Tu me connais à peine.

— Mais je connais Angeline.

— Cette discussion ne nous mènera à rien.

— Dans ces conditions, autant en rester là.

— Admets que ce qui vient de se passer entre nous est extraordinaire.

— Pfff ! Ecoutez l'expert !

— Arrête de te moquer de tout. Essaie plutôt de comprendre. Tu as des opinions trop arrêtées. A tes yeux, je suis le méchant et Angeline, l'ange blond irréprochable. Dans un couple, lorsqu'il y a rupture, tous les torts sont rarement d'un seul côté. Surtout lorsqu'il y a un enfant.

— Pourquoi n'as-tu pas laissé Emmy à Angeline ?

— Parce qu'elle n'en voulait pas.

— Je ne te crois pas. Et pourquoi étais-tu absent au moment de l'incendie ? Il s'agissait encore d'un voyage d'affaires ?

Judd parut moins sûr de lui.

— En quelque sorte.

— Tu étais avec une femme ?

— Non !

— Tu mens, Judd. Tu mens sans arrêt. Et tu t'attends à ce que je te tombe dans les bras comme toutes les autres ? Va-t'en. Tu m'entends ? Va-t'en ! J'en ai assez de tes comédies. Plus qu'assez.

— Entre nous, ce n'est pas fini, Lise.

— Il n'y a jamais rien eu entre nous et il n'y aura jamais rien.

— Tu te trompes. A tout à l'heure.

Quelques instants plus tard, la porte d'entrée se referma. Mais Lise ne se calma pas pour autant. Ses jambes la portaient à peine et elle tremblait de tous ses membres. Comment était-il possible que Judd Harwood ait un tel effet sur elle ?

Un seul baiser avait suffi à mettre tout son petit univers sens dessus dessous. En revanche, quand Dave l'embrassait, elle ne ressentait rien, à part un peu de bien-être, de sécurité, de douceur… C'était probablement pour cela qu'ils n'étaient encore jamais allés plus loin.

Elle soupira. Oui, elle se rendrait chez Judd cet après-midi. Il le fallait bien : ne l'avait-elle pas promis ? Elle s'efforcerait de faire oublier à Emmy ses terreurs. Et puis elle partirait.

Judd n'allait sûrement pas l'embrasser une nouvelle fois. Mais si, par hasard, c'était le cas, comment réagirait-elle ?

3.

Un peu après 16 heures, un taxi passa une grille impression-nante avant de remonter l'allée qui menait à la maison de Judd. Sidérée, Lise contemplait le parc bien entretenu, auquel une légère couche de neige donnait un air féerique. Une petite forêt en plein cœur de la ville !

Le taxi s'arrêta devant le perron d'une imposante propriété. Une vraie maison de cinéma ! Le soir de l'incendie, Lise n'avait, bien entendu, prêté aucune attention à ce décor.

Aujourd'hui, elle avait tout le temps de contempler cette demeure en forme de « U » dont le soleil couchant faisait étinceler les nombreuses fenêtres. Il y avait maintenant des échafaudages autour de l'aile incendiée. Seules les profondes traces de roues qui sillonnaient la pelouse attestaient du passage des pompiers.

Lise pinça les lèvres. Cette maison chaleureuse et accueillante ne correspondait en rien à la personnalité de son propriétaire.

Elle dut poser le sac volumineux qu'elle tenait à bout de bras pour sonner. Judd ouvrit presque immédiatement.

— Entre. Emmy t'attend.

Il portait un pantalon noir à la coupe parfaite et un pull en cachemire gris-bleu – de la couleur de ses yeux, nota Lise. Et, malgré elle, elle retint sa respiration. Cet homme était trop beau. Trop plein d'énergie, de virilité, de vitalité.

33

Sans mot dire, elle pénétra dans un vaste hall à la décoration très moderne. Sur le parquet peint en jaune pâle étaient jetés quelques tapis ethniques. Des tableaux abstraits aux couleurs très vives étaient suspendus aux murs d'un blanc cru. Il y avait aussi un ficus géant dont les plus hautes branches atteignaient le plafond et, sur l'appui de chaque fenêtre, des pots d'amaryllis en fleurs.

Dans cet ensemble très accueillant, Lise ne put remarquer qu'une note discordante qu'elle connaissait bien : l'odeur de brûlé.

— Mais c'est très joli chez toi ! lança-t-elle avec une visible surprise.

— A quoi t'attendais-tu ? A des vieilles armures poussiéreuses ? A une collection d'armes ou de flèches empoisonnées ?

— A vrai dire, je ne sais pas à quoi je m'attendais, répondit-elle honnêtement. Où est Emmy ?

— Dans l'aile réservée aux invités. Nous avons dû fermer celle de la famille. La remise en état est déjà commencée, mais il faudra attendre plusieurs semaines avant de pouvoir y retourner.

Sa voix changea.

— Tous les jouets d'Emmy ont été la proie des flammes. Quand tu l'as sauvée, elle serrait son ours en peluche dans ses bras. Elle ne veut plus le perdre de vue.

Il soupira avant d'ajouter :

— Même s'il sent horriblement la fumée et doit lui rappeler constamment le drame.

Lise hocha la tête.

— Il s'appelle Plush.

— Comment le sais-tu ?

— Elle a eu le temps de me dire son nom avant de perdre connaissance.

Le visage de Judd se crispa.

— Une enquête est en cours. Il y aurait eu un court-circuit. Ce sont les gardiens, qui habitent un cottage au fond du jardin,

34

qui ont donné l'alarme. La personne qui gardait Emmy avait la migraine et était à moitié abrutie par les médicaments. Si tu n'avais pas été là, Lise…

Mal à l'aise, la jeune femme détourna la tête. Que n'aurait-elle donné pour effacer d'une caresse le pli soucieux qui barrait le front de Judd !

— Si ça n'avait pas été moi, ç'aurait été Dave ou un autre. Bon, tu m'emmènes voir Emmy ?

— Oui, bien sûr. Qu'as-tu dans ce sac ?

— Je te montrerai ça tout à l'heure.

Lorsqu'il voulut l'aider à ôter son manteau en agneau retourné, elle recula vivement.

— Laisse, je peux me débrouiller.

En réalité, elle ne voulait pas qu'il la touche. Et il ne s'y méprit pas.

— Tu as peur que je t'emb…

— Aucun danger pour que l'expérience se répète.

— Nous verrons. Il faut savoir prendre des risques. Je ne serais pas arrivé là où je suis maintenant si je n'en avais pas pris.

— J'en prends aussi, mais ils sont calculés.

— Selon toi, je profite de chaque femme consentante, c'est ça ?

— Oui. Sans oublier celles qui ne le sont pas. Moi, par exemple.

— Lise, y a-t-il quelque chose entre toi et Dave ?

Elle aurait pu mentir. Et dans ce cas, elle en était sûre, Judd n'aurait pas insisté. Mais elle avait toujours été incapable de travestir la vérité.

— Pas vraiment, admit-elle enfin.

— Etant donné la manière dont tu m'as embrassé, je n'en suis pas autrement surpris.

— Et toi, Judd, combien de femmes as-tu dans ta vie ?

— En ce moment ? Pas une seule.

— Tu t'attends à ce que j'avale ça ? Les journaux…

— Dans la presse à scandale, la plupart des histoires torrides sont de pures inventions. Il suffit que je serre la main d'une fille pour qu'on en fasse ma maîtresse.

— Il n'y a jamais de fumée sans feu.

Judd éclata de rire.

— Si c'est un expert en la matière qui le dit… Mais je me permettrai cependant de te rappeler qu'il n'y a pas de flamme sans une certaine attirance au départ. Jusqu'à ce que tu réapparaisses dans ma vie, je me trouvais très bien tout seul.

Lise revit soudain une image qu'elle n'avait jamais oubliée. Celle de Judd et d'Angeline, dans le jardin d'Outremont, s'embrassant avec une passion qui l'avait bouleversée.

— Entre Angeline et toi, cette attirance existait.

— Au début. Mais quand il n'y a rien pour la nourrir, comment veux-tu la maintenir en vie ?

— Difficile quand l'un des deux est infidèle.

Avec ironie, elle enchaîna :

— Et dans ce domaine, on peut dire que c'est toi l'expert.

— Tu devrais savoir que l'argent attire certaines femmes. Un homme riche et pas trop mal de sa personne a forcément beaucoup de succès. Oui, les filles courent souvent après moi… Malheureusement, ce qu'on t'offre n'est pas toujours ce dont tu as envie. Et de toute manière, je préfère être celui qui choisit.

Il réussit à lui caresser la joue avant qu'elle ne recule d'un pas.

— Toi, tu es tout simplement toi-même. Cela me change. Tu ne peux pas t'imaginer à quel point c'est rafraîchissant.

A ces mots, il s'empara du sac de la jeune femme.

— Viens, allons trouver Emmy.

Tout en le suivant dans l'élégant escalier, Lise se demandait quelle conclusion tirer d'une telle conversation. Elle avait dit clairement à Judd qu'il ne l'intéressait pas. Avait-il l'intention d'insister, malgré tout ?

Ils arrivèrent sur un large palier. La décoration de l'étage était tout aussi soignée que celle du rez-de-chaussée. « Un véritable musée », pensa Lise en admirant le merveilleux tapis persan aux tons passés. Quant aux aquarelles suspendues aux murs, il s'agissait d'œuvres de Matisse.

« Pour être au diapason, je devrais porter un tailleur de Chanel ou de Dior, se dit-elle. Sûrement pas un treillis kaki et un vieux pull rouge ! »

Judd ouvrit une porte.

— Emmy ? Voici Lise.

Cette dernière le suivit dans une chambre d'enfant peinte en bleu pâle. Au fond de la pièce, elle aperçut un lit à baldaquin tendu de rideaux en mousseline blanche.

— Bonjour, Emmy.

— Bonjour, fit la petite fille sans lever la tête.

Elle contemplait son ours Plush qui sentait encore certainement la fumée.

Lise s'assit près d'elle, sur l'épaisse moquette. Elle n'avait pas réfléchi à ce qu'elle dirait, jugeant qu'il valait mieux se laisser guider par les réactions de l'enfant.

— Ton papa me dit que tu fais des cauchemars.

Pas de réponse.

— C'est un peu ma faute. J'ai dû te faire peur avec mon uniforme. Je l'ai apporté pour que tu voies qu'il n'est pas si effrayant que ça. Je vais le mettre.

Avec difficulté, car elle ne pouvait pas compter sur son bras droit, elle revêtit le pantalon ignifugé.

— Et maintenant, au tour des bottes. Tu vois, elles ont des bandes fluorescentes pour que l'on puisse me voir même dans l'obscurité.

37

Sans cesser de parler, elle enfila ensuite sa veste, puis elle fixa le masque à oxygène.

— Il est relié par ces tuyaux noirs au réservoir que je porte sur mon dos.

L'enfant ne disait toujours rien, mais elle écoutait.

— Quand je porte cet uniforme, je suis méconnaissable, évidemment.

Otant son masque, Lise poursuivit :

— Mais tu vois, c'est bien moi qui suis là-dessous. Il n'y a pas de quoi avoir peur. Tiens, essaie-le…

Elle le mit sur le visage de l'enfant.

— Il est trop grand pour moi, dit enfin Emmy.

— Tu as raison. Mais il irait peut-être à Plush ?

— Il ne va pas avoir peur ?

— Plush n'a pas l'air d'être un ours peureux.

Après avoir tant bien que mal fixé le masque sur la tête du jouet, Lise déclara :

— Il semble content.

— Maryann voulait le mettre dans la machine à laver avec des tonnes de savon pour qu'il ne sente plus la fumée. Je n'ai pas voulu. J'aime mieux que Plush reste toujours avec moi. Quand je suis montée en haut, je l'avais emmené.

— Pourquoi te trouvais-tu à l'étage ? demanda Lise avec curiosité. Tu avais peur du feu ?

— Non, l'incendie n'avait pas encore commencé quand j'y suis allée. Mais quand papa est absent et que je me sens seule, je vais toujours dormir en haut.

« Et cela arrive souvent ? » faillit demander Lise.

Elle se retint de poser la question à temps. Cela ne l'empêchait pas d'être furieuse contre Judd. Comment pouvait-il partir en voyage d'affaires en laissant sa fille seule dans cette grande maison ?

D'ailleurs, s'agissait-il bien de voyages d'affaires ? Ou n'avait-il fait que retrouver l'une de ses nombreuses maîtresses ?

Lise s'efforça de sourire.

— Je suis très contente de t'avoir trouvée avec Plush.

Si elle s'était écoutée, elle aurait serré l'enfant contre son cœur. Mais son intuition lui dit que ce n'était pas le geste à faire.

— Je peux enlever le masque de Plush ?

Emmy s'empressa de défaire les courroies en expliquant :

— Il n'aime pas avoir ça sur la figure.

Lise se mit à rire.

— Moi non plus, tu sais. Ce masque s'avère très utile, mais il est aussi très inconfortable.

Elle se mit en devoir d'ôter ses vêtements et, sans cérémonie, les jeta dans le sac.

— Voilà ! Tous ces trucs me font paraître énorme… Pourtant, honnêtement, il n'y a pas de quoi avoir peur !

La petite fille demeura silencieuse. L'avait-elle seulement entendue ? Elle semblait soudain très loin, dans son monde à elle. Un monde où aucun adulte n'avait accès.

A ce moment-là, on frappa à la porte et une femme d'une cinquantaine d'années fit son entrée, apportant du thé et des biscuits.

— Voici Maryann, la femme de charge, annonça Judd.

Celle-ci adressa un grand sourire à Lise avant de s'éclipser discrètement. Emmy eut droit à une tasse de chocolat pendant que les adultes buvaient leur thé.

La conversation traînait et Lise trouvait que l'atmosphère devenait de plus en plus pesante.

— Je ne vais pas m'attarder, déclara-t-elle.

A son grand soulagement, Judd ne chercha pas à la retenir.

— Je vais ramener Lise chez elle, dit-il à sa fille.

— Au revoir, Emmy.

— Au revoir.

Poliment, la petite fille ajouta :

— Merci d'être venue.

— J'ai été contente de faire ta connaissance.

De nouveau, Emmy garda le silence. Lise attendit d'être en bas, dans le hall, pour demander à Judd d'un air dubitatif :

— Tu crois que ma visite a servi à quelque chose ?

— Je l'espère.

Après un instant d'hésitation, il poursuivit :

— Il est toujours difficile de savoir ce que pense Emmy. Mais tu t'en es tirée merveilleusement bien. Tu as su choisir les mots qu'il fallait, le ton qu'il fallait… Comment te remercier ?

— Je t'en prie.

— Bon, maintenant, je te ramène.

Lise n'avait pas oublié comment s'était terminée la première visite de Judd. Elle n'avait aucune envie de se retrouver seule avec lui.

— Ce n'est pas la peine. Comme j'ai des courses à faire, je vais prendre un taxi. Et Emmy a beaucoup plus besoin de toi que moi. Ce n'est pas bon pour elle de se sentir seule. Surtout en ce moment.

— Inutile de retourner le couteau dans la plaie. Je m'en veux assez comme ça.

— Angeline se plaignait déjà de toutes tes absences.

Il pinça les lèvres.

— Ça ne m'étonne pas.

Lorsqu'il la prit par le bras, elle se raidit. Elle ne voulait pas qu'il la touche. Cet homme avait le pouvoir d'éveiller en elle des élans passionnés qui lui faisaient peur.

— J'ai une proposition à te faire, reprit-il.

— Je ne…

— Avant de refuser, écoute-moi jusqu'au bout. A cause des travaux, la maison est devenue invivable. Il y a du bruit tout le temps ici. Sans compter cette odeur de fumée qui persiste.

40

Emmy va avoir quelques jours de vacances et j'ai l'intention de l'emmener loin de Montréal, à la Dominique, une île des Petites Antilles située entre la Martinique et la Guadeloupe. Tu veux venir avec nous ?

— Moi ? s'écria-t-elle, sidérée. Tu es fou !

— Ecoute-moi avant de protester, fit-il avec lassitude. Réfléchis un instant, et tu admettras que ma proposition tient la route. Premièrement, si les cauchemars d'Emmy persistent, il serait bon que tu sois là. Deuxièmement, tu es toi-même en arrêt de travail. Troisièmement, ce serait une manière de te remercier — un peu, un tout petit peu — de lui avoir sauvé la vie. Et enfin, il fait un froid de loup à Montréal. Tu n'aimerais pas mieux être sur une plage ?

Lise, qui n'était jamais allée aux Caraïbes, se surprit à rêver de vraies vacances. Un lagon turquoise, une plage de sable blond bordée de cocotiers, des fruits tropicaux… Loin, bien loin des camions rouges qui fonçaient dans la nuit, toutes sirènes hurlantes. Loin des drames qui accompagnaient forcément chacune de ses missions. Loin des enfants blessés, des ruines fumantes, des carambolages de voitures sur les routes verglacées. Loin des quelques machos qui, parmi ses collègues au poste de sapeurs-pompiers, lui empoisonnaient la vie. Ceux qui avaient décidé qu'une femme n'avait pas sa place dans leur équipe et n'en démordraient jamais.

Une lassitude infinie l'envahit. Elle en avait assez de tout cela. Oh, tellement assez !

Et voilà que Judd lui proposait des vacances au soleil. Avec lui.

— Je ne peux pas, s'entendit-elle déclarer.

— Pourquoi ?

— Je ne suis jamais partie avec un parfait étranger. Je ne vais pas commencer maintenant.

— Un étranger, moi ? C'est nouveau, ça.

Il lui sourit, et ce sourire la fit fondre.

— On se connaît depuis des années. Et puis, entre nous, il existe quand même une certaine attirance, et…

Elle lui coupa la parole.

— Mettons les choses au point une bonne fois pour toutes, Judd. D'accord, tu es très séduisant, très riche, et aucune femme ne te résiste. Comme les autres, la petite Lise Charbonneau est tombée sous le charme. Il faudrait vraiment être aveugle pour y rester insensible. Et alors ?

Avec véhémence, elle poursuivit :

— Tu es peut-être le plus séduisant des hommes, mais tu ne m'intéresses pas. Tu n'as pas encore compris ça ?

— C'est toi qui ne comprends rien. Tu crois que je demande souvent à une femme de m'accompagner en vacances avec ma fille ? Si tu veux savoir, ça ne m'est encore jamais arrivé.

— Je m'en moque. Sache que je n'irai jamais à la Dominique avec toi. Maintenant, tu veux bien m'appeler un taxi, s'il te plaît ?

Judd l'observait sans mot dire.

Quelle place Dave McDowell occupait-il vraiment dans sa vie ? Et qu'avait bien pu lui dire Angeline autrefois pour que Lise lui voue une pareille haine ?

Il aurait voulu lui poser ces deux questions, mais il savait déjà qu'elle n'y répondrait pas. Quant à lui, une autre interrogation le taraudait : les femme refusaient-elles souvent un séjour dans un paradis tropical, tous frais payés ?

Non.

— Je vais téléphoner pour te commander un taxi, dit-il enfin. Si Emmy a encore des cauchemars, tu reviendras ?

D'un brusque mouvement de la tête, un mouvement plein de panache, elle se redressa en rejetant ses cheveux en arrière.

— Si tu es aux Caraïbes, ce sera difficile.

Judd prit son téléphone mobile et composa le numéro de la station de taxis la plus proche.

Dans quatre minutes, lui promit-on. Il avait donc quatre minutes pour persuader une rousse entêtée de changer d'avis.

— Tu es déjà allée aux Bermudes, aux Bahamas ou en République dominicaine ?

— Non. Qui voudrait m'emmener sous les cocotiers ?

« Dave ? »

— Une fille aussi belle que toi a déjà dû recevoir des tas de propositions. Il n'y a pas d'homme dans ta vie ?

— Quand on fait le métier que je fais, il faut se résigner à la solitude. Les hommes n'acceptent pas qu'une femme travaille avec des équipes exclusivement masculines. Et ils acceptent encore moins mes horaires — entre les urgences et les permanences, je n'ai pas beaucoup de temps libre !

— Dave doit comprendre tout cela, puisqu'il subit les mêmes contraintes. Pourquoi n'es-tu jamais partie en vacances avec lui ?

— Parce qu'il ne me l'a jamais proposé. Ah, voilà le taxi ! Au revoir, Judd.

Il accompagna Lise jusqu'à la voiture et, après avoir déposé le sac de la jeune femme sur la banquette arrière, il se retourna et l'enlaça pour l'embrasser à pleine bouche.

— A très bientôt, murmura-t-il.

Elle lui fit face. Ses yeux lançaient des éclairs.

— Sûrement pas !

4.

Après avoir donné son adresse au chauffeur du taxi, Lise laissa sa tête aller contre la banquette. Elle se sentait soudain très lasse. Et elle n'avait aucune course à faire, comme elle l'avait prétendu.

Elle n'avait *rien* à faire. C'était d'ailleurs son problème. Avec un seul bras valide, la plupart des tâches ménagères se révélaient impossibles. Ce qui lui prenait d'ordinaire cinq minutes lui en demandait facilement le triple.

Du bout des doigts, elle effleura ses lèvres.

Des vacances au soleil ? Avec Judd ?

Mieux valait ne pas penser à cela. Au lieu de rentrer chez elle, pourquoi n'irait-elle pas rendre visite à sa tante Marthe — celle qui avait été, pendant quelques années, la belle-mère de Judd ?

— J'ai changé d'avis, annonça-t-elle au taxi. Je vais déposer mon sac chez moi, puis nous irons à Outremont.

Sur ce, elle lui donna l'adresse de sa tante.

Lise n'avait que sept ans quand elle était venue vivre dans cet élégant quartier de Montréal. Le feu venait de détruire la maison familiale et ses parents avaient péri dans l'incendie. A l'époque, Lise était une petite fille terrifiée qui, chaque nuit, faisait de terribles cauchemars.

En frissonnant, Lise revit le visage figé de sa tante Marthe. Jamais il n'était venu à l'idée de cette dernière de la câliner.

Marthe n'avait d'yeux que pour sa fille, la ravissante Angeline. Elle lui vouait une adoration sans bornes et, dans son cœur, il n'y avait pas de place pour la nièce que, bon gré, mal gré, elle avait dû prendre en charge.

Lise avait compris très vite qu'elle représentait surtout un poids pour cette femme. Cependant, par sens du devoir, elle continuait à lui rendre régulièrement visite.

Une demi-heure plus tard, elle sonnait chez Marthe Charbonneau. Une femme de chambre lui ouvrit et la conduisit au salon.

Vêtue d'une longue jupe noire et d'un twin-set en cachemire assorti au bleu de ses prunelles pâles, Marthe était en train d'écrire une lettre. Avec ses cheveux blancs à la mise en plis parfaite et son collier de perles, elle paraissait plus glaciale que jamais.

— Bonjour, ma tante. C'est la bonne heure pour une petite visite ?

Marthe lui tendit une joue poudrée, tout en pliant ostensiblement sa lettre pour que Lise ne puisse pas la déchiffrer.

— Tu sais bien que les visites me font toujours plaisir, déclara Marthe de sa voix lointaine. Je me sens si seule !

Refusant de se sentir coupable, Lise lança :

— Il fait encore très froid dehors, mais le soleil brille. Tu devrais sortir. C'est à Angeline que tu écris ?

— Je n'ai pas eu de ses nouvelles depuis près de deux semaines. Quand je téléphone au château, je n'arrive pas à la joindre. Ou bien elle est sortie, ou bien elle est avec des amis.

Avec une évidente fierté, Marthe poursuivit :

— Il faut dire qu'elle reçoit beaucoup. Et des gens importants ! La semaine dernière, elle a fait une croisière en Méditerranée avec le comte et la comtesse de…

Voilà, Marthe était lancée. Lise n'écouta plus que d'une oreille ce monologue où il n'était question que des fabuleuses relations de sa cousine.

A trente-cinq ans sonnés, Angeline avait maintenant pratiquement abandonné son métier de mannequin. Elle préférait se pavaner avec la jet-set dans tous les endroits où il était de bon ton d'être vu.

Quatre ans auparavant, au moment de son divorce, elle avait fait un saut à Montréal. Elle avait passé un petit coup de fil à Lise mais n'avait pas trouvé le temps de la voir.

La jeune femme se souvenait clairement de leur conversation.

— Emmy va rester avec Judd, lui avait appris sa cousine.

Lise était absolument horrifiée.

— Ce n'est pas toi qui en auras la garde ?

— Je la prendrai au moment des vacances.

— Mais une petite fille doit rester avec sa mère !

— Je le sais. Que veux-tu y faire ?

Lise aurait juré que sa cousine pleurait tandis qu'elle ajoutait :

— Je ne m'inquiète pas vraiment. Je suis persuadée que Judd s'occupera bien d'elle.

— Comment a-t-il osé te prendre ta fille ?

— Il est convaincu d'agir pour le mieux.

— Cet homme n'a aucun cœur.

— J'en ai conscience, mais je ne veux pas faire d'histoires. Il y a déjà eu tant d'articles dans les journaux au sujet de ce divorce… Cela risquerait de faire souffrir Emmy.

— Tu es trop bonne… Pauvre petite Emmy !

— Oui, pauvre petite !

Avec un entrain forcé, Angeline avait repris :

— Mais parlons plutôt d'autre chose. As-tu vu la dernière collection de Donna Karan ? Elle est superbe ! J'en ai commandé plusieurs modèles.

— Oui, j'ai vu des photos dans un magazine. On en parle partout.

46

La voix de Marthe ramena brusquement la jeune femme à l'instant présent.

— Tu m'écoutes, Lise ?

— Pardon, ma tante. Je pensais à Angeline. Elle a été si courageuse au moment du divorce, quand Judd a insisté pour obtenir la garde d'Emmy.

— Quel manipulateur, celui-là ! Il a fait appel à tous les avocats qu'il connaissait pour arriver à ses fins. Angeline avait annoncé qu'elle allait s'installer en France et, selon lui, Emmy aurait eu du mal à s'adapter à la vie en Europe.

Sa tante leva les yeux au ciel.

— Une gamine de trois ans !

— J'ai vu Emmy. Elle a des yeux superbes. Exactement ceux d'Angeline. Au fait, tu as su qu'il y avait eu récemment un incendie chez Judd Harwood ? Je faisais partie de l'une des équipes qui sont allées là-bas.

Marthe crispa ses doigts couverts de bagues en diamants sur l'accoudoir de son fauteuil.

— Judd Harwood a fait tant de mal à ma fille ! Et à moi, par ricochet. Je ne peux voir l'enfant qu'un dimanche par mois. Tu imagines ? C'est la seule visite à laquelle j'ai droit.

— Comment la trouves-tu ? Elle est timide, non ?

— Elle ne dit pratiquement pas un mot. Remarque, cela ne m'étonne pas. Judd Harwood a dû lui dire tant de mal de moi !

— Depuis combien de temps Angeline n'a-t-elle pas vu Emmy ?

— Ça lui est toujours si douloureux de revoir sa fille ! Ma chère Angeline a toujours été tellement émotive… Elle est aussi sensible que belle.

Avec une grimace, Marthe l'examina des pieds à la tête.

— Dommage que tu n'aies pas hérité du même physique. Il faut dire que ma sœur n'était pas spécialement jolie.

Lise se raidit. Sa tante n'avait jamais cessé de faire des comparaisons entre les cousines. Entre la blonde éthérée aux superbes yeux bleus et la petite rousse aux manières de garçon manqué...

— Toutes les filles ne peuvent pas faire une carrière de mannequin international, ma tante, répliqua-t-elle d'un ton léger.

— Je voulais aller en France pour Pâques, mais Angeline m'a demandé de retarder mon voyage. L'emploi du temps d'Henri ne lui permettait pas de me recevoir à l'époque que j'avais choisie.

— Elle va peut-être venir au Canada ?

— Elle ne m'a pas parlé de cela. Mais il faut dire qu'elle est tellement occupée ! Elle est récemment allée à un mariage à Monaco. Un grand mariage ! On en a parlé dans tous les magazines.

Marthe découpait tout ce qui paraissait au sujet de sa fille.

— Regarde !

Poliment, Lise avisa les photos sur papier glacé. Au milieu des aristocrates, des stars ou des gens richissimes qui constituaient désormais son monde, Angeline paraissait radieuse.

Lise s'étonna de la voir au bras d'un magnat italien de la presse.

— Henri était retenu au château, expliqua Marthe. Il s'occupe personnellement de ses vignobles et, ce jour-là, il devait justement recevoir des acheteurs importants.

Elle haussa les épaules.

— Angeline n'a jamais de mal à trouver quelqu'un pour l'accompagner. Cela, Judd ne le comprenait pas.

De nouveau, elle crispa ses doigts sur les accoudoirs de son fauteuil.

— Il prenait cela pour des infidélités ! Comme si Angeline était de celles qui trompent leur mari !

Elle ricana.

— Et comme si lui-même était irréprochable !

Marthe secoua la tête.

— Ah, tu ne peux pas t'imaginer combien ma fille a souffert à cause de ce Judd Harwood !

Lise voulait bien le croire. L'ex-mari de sa cousine ne pouvait pas voir passer une femme sans tenter sa chance.

« Il a même essayé avec moi ! »

Et, pourtant, elle lui avait fait clairement comprendre qu'il ne l'intéressait pas.

— Angeline était si jeune quand elle l'a rencontré ! Si j'avais su alors ce que je sais maintenant, je me serais efforcée d'empêcher ce mariage.

Lise en doutait : Marthe avait toujours fait les quatre volontés de sa fille.

Sur ces entrefaites, la femme de chambre leur apporta du thé. Lise accueillit cette diversion avec soulagement. Ce n'était pas la première fois que sa tante lui parlait de Judd et d'Angelina. Mais cette fois, sans qu'elle sache pourquoi, cette conversation la mettait spécialement mal à l'aise.

Un quart d'heure plus tard, quand elle se leva pour partir, Marthe ne la retint pas. Lise décida de rentrer à pied : un peu d'exercice ne lui ferait pas de mal.

En fin de compte, sa tante ne lui avait rien appris de nouveau. Elle savait déjà que Judd avait traité Angeline d'une manière honteuse.

« Pas de danger pour que je tombe de nouveau amoureuse de lui ! » se dit-elle en marchant d'un bon pas.

Il faisait déjà nuit quand Lise arriva dans sa rue. Elle reconnut sans peine la vieille Honda de Dave devant l'immeuble, et trouva ce dernier à sa porte, en train de composer le code.

— Salut ! lança-t-elle avec chaleur.

Lui, au moins, n'était pas compliqué. On pouvait en toutes circonstances compter sur cet homme honnête et franc.

— Tiens, tu étais sortie ?

— Mon bras est en mauvais état, mais pas mes jambes. Je suis allée voir ma tante.

Dave eut un sourire forcé.

— Tu veux manger une pizza avec moi ?

— Bonne idée.

Ils se retrouvèrent un peu plus tard attablés face à face dans la pizzeria du coin.

— Ça va ? demanda Lise. Tu n'es pas comme d'habitude. Tu as l'air bizarre.

— J'ai quelque chose à te proposer.

— Vas-y.

Il s'éclaircit la voix.

— Ça fait déjà un certain temps qu'on se voit. On va au cinéma, on dîne ensemble…

Avec un visible effort, il poursuivit :

— Je t'ai embrassée une fois ou deux, on s'est tenu par la main. Mais je n'ai jamais osé, euh…

— Dave…

— Laisse-moi finir ! Ce n'est déjà pas si facile. Voilà ! Tu es en arrêt de travail. Quant à moi, j'ai cinq jours de vacances à prendre avant la fin du mois. Partons ensemble. Où tu veux. On pourrait aller… je ne sais pas, moi, dans un hôtel confortable à Québec, ou bien dans un bungalow près d'un lac. Ce qui te tente.

Il posa la main sur celle de la jeune femme.

— J'ai seulement envie d'être avec toi.

Lise baissa les yeux. Pour la seconde fois de la journée, on lui proposait des vacances. Dave avait attendu des années… et il avait fallu qu'il choisisse précisément ce jour-là pour le faire !

Elle contempla la main que Dave crispait sur la sienne. Elle n'avait aucune envie de presser cette main-là contre sa joue, et encore moins d'y poser ses lèvres. Tandis que lorsque Judd la touchait…

50

— Tu es très gentil. Mais…

— Je m'y prends mal.

Brusquement, il se leva et vint l'embrasser sur les lèvres.

Lise eut envie de pleurer. Ce baiser ne la troublait en rien. Dans les bras de Dave, elle ne ressentait absolument aucune émotion ; elle avait l'impression d'être de marbre.

Quand il la lâcha enfin, elle retint un soupir de soulagement.

— Dis oui, Lise. Je t'en prie !

— Je ne peux pas, fit-elle d'une voix presque inaudible.

— Pourquoi ? On s'entend bien, tous les deux. On peut partir ensemble… et on verra bien ce qui se passera.

— Je ne suis pas amoureuse de toi, réussit-elle à dire.

Il se raidit tandis qu'elle s'obligeait à poursuivre avec franchise :

— Ce ne serait pas honnête d'accepter de t'accompagner. Jamais je ne pourrai te donner ce que tu attends.

Elle s'efforça de sourire.

— Mange ! Ta pizza va être froide.

Dave se rassit lourdement en face d'elle.

— Il y a quelqu'un d'autre ?

— Non !

Comment aurait-elle pu parler de Judd ? Un homme qui la troublait comme aucun n'y était jamais parvenu. Ce qui ne l'empêchait pas de le mépriser de toutes ses forces.

Ils terminèrent leur pizza en silence. Puis, toujours en silence, Dave l'accompagna jusqu'à sa porte.

— Je préfère qu'on évite de se voir pendant un certain temps, déclara-t-il d'un ton neutre.

— Tu ne veux plus qu'on soit amis ?

— Pas pour l'instant. On le redeviendra peut-être un jour.

— Je pense à donner ma démission.

Les mots lui étaient venus tout naturellement aux lèvres et elle fut la première à s'en étonner.

— Tu veux quitter l'équipe ? s'écria Dave. Mais que feras-tu ?

— Je n'en sais rien. Je suis fatiguée. Je fais ce travail depuis dix ans et ça devient trop lourd. J'ai besoin de changement.

— Heureusement que les autres ne pensent pas comme toi, déclara-t-il d'un ton sec.

— N'essaie pas de me donner mauvaise conscience.

Elle le fixa droit dans les yeux.

— Bonne chance, Dave. Je suis désolée...

Sans lui laisser le temps de répondre, elle rentra chez elle. Comme elle se sentait lasse, soudain ! Tout allait mal. Par sa faute, Dave souffrait, maintenant. Oh ! pourquoi n'avait-elle pas pu tomber amoureuse d'un brave garçon sans problèmes comme lui ?

Le lendemain matin, le ciel était plus gris que jamais et il faisait encore plus froid.

Lise se sentait terriblement déprimée. Non seulement elle avait perdu l'amitié de Dave, mais elle lui avait fait beaucoup de mal.

« Une raison de plus pour donner ma démission. Nous revoir dans ces conditions serait aussi gênant pour lui que pour moi. »

Elle prit une douche et, après s'être vigoureusement essoré les cheveux, enfila son peignoir en velours fuchsia. La glace de la salle de bains lui renvoya son reflet et elle crut entendre la voix docte de sa cousine :

— Cette couleur est affreuse pour une rousse.

Sa chevelure, encore humide, entourait son visage d'un halo couleur flamme. L'image de Dave s'imposa à elle, bien vite remplacée par celle de Judd.

Il fallait absolument qu'elle s'occupe si elle voulait éviter de trop penser ! « Tout à l'heure, j'achèterai un journal pour consulter les offres d'emploi », se promit-elle. Elle pourrait aussi se renseigner sur les cours à suivre pour devenir assistante vétérinaire, car elle adorait les animaux.

Cinq minutes plus tard, elle mit la cafetière en route. Elle était en train de découper un pamplemousse quand un coup de sonnette la fit sursauter. Le couteau glissa entre ses doigts et elle se coupa le bout de l'index.

Qui pouvait bien venir la voir ? Dave, fort probablement. Elle le connaissait suffisamment et le savait capable de venir la trouver après une nuit de réflexion pour lui demander si elle avait changé d'avis.

En soupirant, elle ouvrit la porte.

— Oh, c'est toi ! s'exclama-t-elle, surprise.

— Oui, c'est moi, fit Judd. Que t'es-tu fait au doigt ?

— Je me suis coupée. Ce n'est rien.

D'autorité, Judd entra, posa une valise par terre et enveloppa le doigt de Lise dans un mouchoir d'une blancheur éclatante.

Elle haussa les épaules.

— C'est malin. Maintenant ton mouchoir est plein de sang. Que fais-tu ici à une heure pareille ?

Il lui adressa un sourire craquant.

— Je t'enlève. Ou, plus exactement, Emmy et moi t'enlevons. Elle attend en bas dans la voiture. Nous allons prendre l'avion tous les trois.

— Tu as déjà vu un riche kidnapper une pauvre ?

Il la détailla avec amusement.

— Eh bien, tu aimes les couleurs vives !

— Quand j'étais enfant, j'héritais des vêtements d'Angeline. Elle ne portait que des teintes pastel. Ces couleurs lui allaient à merveille mais elles me faisaient ressembler à un chiot malade. Maintenant que je peux m'habiller comme je veux, j'en profite.

Judd l'empoigna par les cheveux avec une violence contenue mais, en même temps, avec une extraordinaire douceur.

— Nous en revenons toujours à Angeline ! Tu veux que je te dise quelque chose ? Tu es aussi différente d'elle que le rouge vif l'est du rose pâle.

Puis il captura ses lèvres dans un baiser. Pendant une fraction de seconde, Lise resta immobile entre ses bras. Cette fois, au lieu de s'abandonner, elle pensait à Angeline. Et aussi à Emmy, qui allait dormir dans la pièce du haut quand elle se sentait seule.

Elle le repoussa de toutes ses forces.

— Va-t'en dans ton île paradisiaque, Judd ! Ou va-t'en au diable, ça m'est égal. Tout ce que je te demande, c'est de partir d'ici.

— Habille-toi, Lise. Je t'emmène. N'oublie pas tes lunettes de soleil.

— Tu n'as pas encore compris ? Je refuse de partir avec toi.

— Emmy compte sur toi.

— Ce n'est pas vrai. Elle se moque bien de moi.

— Je lui ai demandé si elle voulait que tu viennes.

— Et qu'a-t-elle répondu ?

Judd hésita. Lorsqu'il avait posé cette question, sa fille s'était contentée de murmurer :

— Comme tu veux.

Judd avait insisté :

— Je te demande ton avis, Emmy.

L'enfant s'en était tirée par une pirouette.

— Elle a de jolis cheveux.

— Lise travaille très dur, tu sais. Elle a besoin de vacances.

— Je la trouve plus gentille qu'Eleanor.

Judd était resté sans voix pendant quelques instants. Car il s'était intéressé pendant un certain temps à Eleanor, la ravissante fille d'un aristocrate anglais. Mais la rupture n'avait pas tardé : Eleanor était de glace et détestait les enfants.

— Qu'a répondu Emmy ? insista Lise.

— Elle ne s'est pas montrée spécialement enthousiaste, admit-il franchement.

54

— Tiens, pour une fois, tu fais preuve d'honnêteté.

— Tu le mérites, déclara Judd avec gravité.

Lise parut déconcertée. Cela ne dura pas !

— Je t'ai déjà dit que je ne vous accompagnerai pas. Il est hors de question que je revienne sur ma décision. Tu n'as qu'à trouver quelqu'un d'autre.

— C'est toi que je veux.

Elle eut un haut-le-corps.

— Et quoi encore ?

Judd la prit par la main et la ramena dans l'entrée. Il ouvrit la valise neuve qu'il avait apportée.

— Hier, je suis allé faire du shopping. Pour toi.

Lise fronça les sourcils.

— Tu veux dire que tu m'as acheté des vêtements ?

— Oui. Je me suis dit que tu n'avais pas ce qu'il fallait pour les tropiques dans ta garde-robe.

— Comment connais-tu ma taille ?

— Je t'ai tenue dans mes bras.

Elle devint écarlate.

— Tant pis pour toi ! lança-t-elle. Tu crois qu'on m'achète avec quelques vêtements ?

— On ne peut pas t'acheter, Lise. Je l'ai compris depuis longtemps.

— Je ne veux ni de ton argent, ni de tes vêtements.

Et elle disait la vérité !

Oui, elle disait la vérité. A cette pensée, Judd se sentit envahi d'une joie sans mélange. D'ordinaire, les femmes se montraient tellement intéressées !

— Ni argent ni cadeaux. C'est peut-être seulement moi que tu veux ? demanda-t-il.

Elle sursauta.

— Je ne sais pas, avoua-t-elle sans détour. Je suis attirée par toi, je ne peux pas le cacher. Mais…

— Viens avec nous, Lise. Je te jure que je ne chercherai pas à profiter de la situation. Tu auras ta chambre.

— Je ne peux pas accepter, Judd. Il n'y a aucune raison pour que tu m'offres des vacances.

— Tu as sauvé la vie d'Emmy. J'ai envers toi une dette que je ne pourrai jamais rembourser. Honnêtement, quelques jours au soleil ne représentent pas grand-chose à côté de tout ce que tu m'as donné.

Le regard de Judd était devenu soudain si intense qu'elle dut baisser la tête. Ses yeux tombèrent sur les vêtements qui se trouvaient sur le dessus de la valise.

— Sous le deux-pièces jaune, qu'y a-t-il ? demanda-t-elle d'une voix étranglée.

Judd s'empara d'une longue robe constituée de plusieurs panneaux de soie très fluide allant du vert jade à l'or. Les couleurs et la matière parurent ondoyer quand il la tint à bout de bras.

— Quand je l'ai vue en vitrine, près du square Westmount, j'ai su qu'elle était faite pour toi.

En voyant des larmes briller dans les yeux de la jeune femme, Judd s'inquiéta.

— Que t'arrive-t-il ? Elle ne te plaît pas ?

— La semaine dernière, je l'ai vue en vitrine. Et j'ai pensé, moi aussi, qu'elle était faite pour moi. Mais je savais que je ne pouvais pas m'offrir un modèle si coûteux. Et même si j'en avais eu les moyens, quand aurais-je eu l'occasion de le porter ? Au dîner annuel des pompiers ? A la pizzeria ? Cette robe est faite pour une femme menant une autre vie que la mienne.

Elle frissonna.

— Que tu me l'apportes aujourd'hui, cela me fait peur, Judd.

— Va vite t'habiller. Tu viens avec nous. Et je jure que je ne te toucherai pas une seule fois pendant la durée de ton séjour.

Une larme glissa sur la joue de Lise.

— Moi qui ne pleure pratiquement jamais, c'est réussi ! Dans mon travail, je vois parfois des choses si horribles que… que j'ai bien du mal à ne pas me mettre à sangloter. Mais je m'endurcis, car je sais que certains de mes collègues seraient trop contents de me voir me comporter comme une « bonne femme typique », selon leurs termes.

Judd résista à l'envie de la prendre dans ses bras.

— Je ne t'offre pas grand-chose, tu sais. Quelques jours sous les tropiques. Et une robe qui fera paraître tes yeux encore plus verts…

Elle s'essuya les joues du revers de la main.

— Je vais me préparer, murmura-t-elle. Ce ne sera pas long.

5.

Le soir était déjà tombé. Judd était allé mettre Emmy au lit tandis que Lise restait assise sur la terrasse qui dominait la mer. Une mer que le soleil couchant teintait de rouge et d'orangé sous un ciel violacé. Peu à peu, les bougainvillées, les cocotiers et les buissons d'hibiscus aux fleurs écarlates disparaissaient dans l'obscurité.

Jamais Lise n'avait eu l'occasion d'admirer un pareil spectacle. Elle en demeurait saisie.

Depuis qu'elle s'était assise dans la longue limousine qui attendait en bas de chez elle, son existence s'était transformée en un véritable conte de fées. « Cendrillon au pays des merveilles », avait-elle pensé avec ironie.

Trop. C'était trop ! Le chauffeur en uniforme. Le jet privé portant le logo de l'une des compagnies d'aviation de Judd. Puis, quelques heures plus tard, l'arrivée dans la plus luxueuse des villas : un jardin à la végétation luxuriante, des fleurs partout, une piscine que semblait prolonger la plage privée, des domestiques... Oui, c'était trop !

Et, jusqu'à présent tout au moins, la conduite de Judd avait été irréprochable.

Les oiseaux s'étaient tus. On n'entendait plus que le bruit des vagues qui s'abattaient inlassablement sur le sable, et le froissement des palmes des cocotiers dans la brise tiède.

Lise s'étira sur sa chaise longue en teck. Son pantalon large et très souple, en soie d'un jaune si pâle qu'il paraissait blanc, frôla sensuellement sa peau. Elle le portait avec une chemise assortie merveilleusement bien coupée.

Tout cela avait été choisi par Judd. Payé par Judd. Elle aurait dû se sentir gênée. Mais elle était trop lasse — trop bien aussi — pour éprouver autre chose qu'un intense sentiment de relaxation.

Ses paupières s'alourdissaient. Peut-être devrait-elle aller se mettre au lit avant que Judd revienne ? Soit, il lui avait fait des promesses solennelles, mais savait-on jamais, avec les hommes ? Oh, pourquoi se méfierait-elle de Judd ? Ne pouvait-elle pas lui faire confiance ?

Oubliant qu'elle lui était tombée dans les bras comme un fruit mûr, elle ferma les yeux.

Bercée par le bruit des vagues, elle ne tarda pas à s'endormir. Et elle dormait toujours quand, dix minutes plus tard, Judd revint sur la terrasse.

Il s'immobilisa. La nuit était maintenant tombée et la lumière en provenance de la maison dorait le visage de la jeune femme. Ses boucles folles semblaient autant de flammes tandis que ses seins, soulignés avec précision par la soie fluide de sa chemise, se soulevaient régulièrement au rythme de sa respiration.

Judd nota les cernes qui creusaient ses yeux. A la voir ainsi abandonnée, il eut l'impression que son cœur se serrait. Son cœur ? Après Angeline, il s'était juré que plus aucune femme ne réussirait à le faire battre de nouveau.

Un sourire sarcastique lui vint aux lèvres. Il avait réussi à amener Lise dans son paradis dominicain. Pour quatre jours et quatre nuits. Et il avait promis de ne pas la toucher !

« Tu es un bel imbécile, se dit-il. Si tu ne peux pas l'approcher, pourquoi l'as-tu fait venir ici ? »

Pour la remercier, évidemment. Il lui devait bien des petites vacances. Cela ne l'empêchait pas de la désirer comme un fou.

Même s'il n'était pas amoureux d'elle. Oh, pas de danger ! Plus jamais il n'aimerait une femme. Cela lui était arrivé une fois et il l'avait chèrement payé.

Il avait vingt-trois ans quand il avait vu Angeline dans une rue de Manhattan. Il sortait du bureau où il venait de négocier l'achat de quatre Boeing. L'avenir de sa première compagnie d'aviation était en jeu et il sentait son taux d'adrénaline monter en flèche.

Quelques badauds s'étaient rassemblés sur le trottoir. Emerveillés, ils regardaient Angeline qui posait pour un photographe sous les projecteurs. Emerveillé, Judd l'avait été, lui aussi. Avec ses yeux bleu nuit, ses cheveux blonds, son visage de rêve, ses diamants et son vison, cette créature semblait venir d'une autre planète.

A ce moment-là, il s'était juré qu'elle deviendrait sa femme. Quand il voulait quelque chose, il l'obtenait toujours, et il l'avait épousée. Mais ils n'avaient pas été heureux, loin de là.

Lise s'étira dans son sommeil. Lorsqu'elle dormait, elle paraissait plus jeune, plus vulnérable. Judd crispa les poings. Faire une telle promesse ! Que lui était-il passé par la tête à ce moment-là ? « Je ne te toucherai pas »... C'était facile à dire, mais il n'était pas un saint.

Ce soir, cependant, il saurait réprimer ses instincts. Il se sentait assez fort pour porter Lise bien sagement dans la chambre de cette dernière. Car il ne pouvait pas la laisser dormir dehors.

Lorsqu'il la prit dans ses bras et la souleva sans effort, elle se blottit contre lui avec un murmure sensuel. A travers ses vêtements, Judd sentit la douce chaleur du corps de la jeune femme et son propre désir ne fit que croître.

Les chambres se trouvaient de l'autre côté du hall. Au moment où il poussait la porte de Lise, le coude de cette dernière heurta le chambranle. La douleur se répercuta dans son épaule. Elle gémit et ouvrit les yeux.

— Oh, pardon ! s'exclama Judd, navré de lui avoir fait mal.

— Tu exagères ! s'écria-t-elle. Comment peux-tu...

Il la déposa sur le lit avant de se redresser.

— Tout de suite les accusations ! Tu ne peux pas avoir confiance en moi ?

— Tu avais promis de…

Furieux d'être accusé alors qu'il entendait bien respecter ses engagements — tout au moins ce soir-là —, il lança :

— Tu t'étais endormie dehors. Si je t'y avais laissée, tu te serais fait dévorer par les moustiques.

Lise ne trouva rien à répondre. Elle était justement en train de rêver de Judd, et elle ne savait plus très bien comment départager le rêve et la réalité.

Judd avait l'air en colère.

— Oui, tout de suite les accusations ! répéta-t-il. Tu ne prends même pas le temps de réfléchir une seconde.

— Admets que les apparences étaient trompeuses.

— Il faut parfois savoir regarder au-delà. La prochaine fois, avant de m'attaquer, laisse-moi au moins le bénéfice du doute.

Sur ces mots, il quitta la pièce.

Lise savait d'ordinaire se maîtriser en toutes circonstances. Cette fois, cependant, elle eut soudain toutes les peines du monde à se retenir pour ne pas hurler, trépigner, donner des coups de poing dans ses oreillers.

Oh, pourquoi Judd n'était-il pas resté ?

Sidérée par la violence de son désir, elle se prit la tête entre les mains.

Que lui arrivait-il ? C'était à cause de son rêve, bien sûr ! Elle n'était pas encore bien réveillée et le fait de se retrouver dans les bras de Judd l'avait complètement perturbée. D'ailleurs, depuis ce matin, elle avait perdu tous ses repères.

Cela s'expliquait sans peine. Après cette discussion avec Dave, elle avait très mal dormi. Puis Judd était arrivé et l'avait pratiquement kidnappée.

Maintenant, elle se retrouvait dans une île paradisiaque. Son épaule la faisait toujours souffrir. Et puis il y avait eu la fatigue du voyage, le décalage horaire, la différence de climat. Si à Montréal, il gelait, ici, il faisait près de 30°.

Non, elle n'allait sûrement pas faire l'amour avec Judd. Même si elle en mourait d'envie par moments. Quoi de surprenant ? Il était homme, elle était femme… et chacun savait que le soleil décuplait les désirs.

Lise avait déjà commis beaucoup d'erreurs dans sa vie, mais il n'y avait aucun danger pour qu'elle commette celle-là.

Si elle était capable de se faire respecter par tous les pompiers d'une caserne, elle ne devrait pas avoir grand mal à tenir Judd Harwood à distance.

Ils prirent leur petit déjeuner sur la terrasse, à l'ombre d'un parasol et des bougainvillées de la pergola.

— Je voudrais aller sur la plage, annonça Emmy.

— Bonne idée, approuva Judd. Lise, tu as de la crème solaire ?

— J'en ai trouvé dans la salle de bains. Mais je crois que je préfère rester sur la terrasse pour lire tranquillement à l'ombre.

Judd haussa un sourcil.

— Comme tu veux, dit-il enfin. La bibliothèque est à ta disposition.

— Merci.

Lise s'installa sur une chaise longue avec un roman pendant que Judd et Emmy descendaient vers la plage.

Judd, seulement vêtu d'un short, se mit en devoir d'aider Emmy à construire un château de sable.

Lise s'efforçait de lire, mais les lignes dansaient devant ses yeux. Elle ne voyait que Judd, son torse bronzé, ses longues jambes solides et musclées. Quand il alla ensuite avec sa fille jouer dans les vagues, elle eut toutes les peines du monde à s'interdire de les rejoindre.

Elle ne tarda pas à abandonner son livre pour aller se mettre en maillot — un deux-pièces minuscule qui ne laissait pas grand place à l'imagination. Après avoir attaché ses cheveux à l'aide d'un ruban, elle se laissa glisser dans l'eau tiède de la piscine.

Craignant de se faire mal à l'épaule, elle se contenta, au début, de nager paresseusement la brasse. Puis elle se mit au crawl, de plus en plus vigoureusement. Détendue par l'exercice, elle se laissa enfin flotter sur le dos en contemplant le ciel sans nuages.

« Je suis tout de même mieux ici qu'à Montréal, accrochée à un camion filant toutes sirènes hurlantes dans les rues glaciales », se dit-elle.

Soudain, Emmy plongea, l'éclaboussant de mille gouttelettes scintillantes. Judd plongea à son tour et émergea à son côté.

— On joue à chat. Touchée, Lise ! Chat ! s'écria-t-il en filant à l'autre bout de la piscine.

— Maintenant, essaie de m'attraper, Lise ! cria Emmy.

La petite fille riait de bon cœur. Quelle différence avec l'enfant terrorisée qui se recroquevillait sur elle-même dans un coin, tandis que l'incendie faisait rage !

Emmy nageait comme un poisson et Lise eut du mal à lui saisir la cheville.

— Chat !

Emmy attrapa ensuite son père. Pour éviter ce dernier, Lise disparut au fond de la piscine. Il plongea à son tour, l'embrassa sous l'eau avant de remonter comme une flèche.

Lise se lança de nouveau à la poursuite d'Emmy et le jeu continua.

Vingt minutes plus tard, hors d'haleine, ils se hissèrent hors de la piscine.

— Tu nages très bien, Emmy, commenta Lise.

L'enfant lui adressa l'un de ses regards impénétrables.

— C'est papa qui m'a appris, répondit-elle enfin.

Lise eut l'étrange impression que la petite fille, après lui avoir entrouvert une porte, venait de la lui refermer au nez.

Judd se trouvait à deux pas d'elle. Et en voyant ce corps de dieu grec tout ruisselant d'eau, le désir la submergea telle une flamme vive.

Elle prit sa serviette et enfouit son visage dedans.

« Ne le regarde pas. Ignore-le, se dit-elle. Tu n'as qu'à le considérer comme… comme l'une des chaises longues qui entourent la piscine. »

C'était facile à dire. Judd n'avait rien d'un meuble.

Sally, la cuisinière, avait disposé le déjeuner sur une table ombragée par un parasol et de grands tulipiers en fleurs.

Une carafe pleine de jus de goyave, des crevettes, quelques poissons grillés, une purée d'avocats et une salade de fruits tropicaux les attendaient.

Lise enfila une tunique en léger voile jaune assortie à son maillot avant de s'approcher de cet appétissant buffet.

— Je meurs de faim ! lança-t-elle avec bonne humeur.

Pendant le déjeuner, Judd raconta quelques histoires amusantes sur les débuts de sa première compagnie d'aviation. Pour distraire Emmy, Lise lui décrivit ses innombrables sauvetages de chats.

Elle devinait le regard de Judd sans cesse posé sur elle. Oh, il restait très discret ! Emmy, elle en était sûre, ne remarquait rien.

Mais elle-même sentait ce regard comme une caresse sur son cou, sur ses seins, sur ses épaules.

Si, fidèle à sa promesse, il ne la touchait pas, il réussissait à la déshabiller des yeux. Et c'était aussi sensuel que s'il l'avait fait avec ses mains.

Après avoir fait honneur à son repas, Lise termina son verre de jus de goyave et se leva.

— Je me retire pour faire la sieste. A tout à l'heure.

— Dors bien, dit Judd.

Elle se réfugia dans sa chambre et prit une douche interminable dans la salle de bains attenante.

Puis elle revêtit l'une des deux chemises de nuit en soie qu'elle avait trouvées au fond de sa valise et s'allongea, persuadée qu'elle ne réussirait pas à dormir.

Lorsqu'elle ouvrit les yeux, le soleil descendait déjà à l'horizon. Ça alors, elle avait dormi presque cinq heures d'affilée ! Incroyable !

« Il faut croire que j'étais *vraiment* fatiguée », pensa-t-elle.

Désireuse d'éviter les robes trop moulantes ou trop décolletées, elle revêtit le pantalon et la chemise qu'elle avait portés la veille au soir.

Puis elle sortit de sa chambre. Sur la terrasse, Judd et Emmy jouaient aux échecs. Il existait entre eux une complicité étonnante et Lise se sentit soudain exclue de leur relation.

Elle était bien obligée de constater que le père et la fille s'entendaient à merveille. Ce qui ne cadrait pas avec la description qu'Angeline faisait de son ex-mari : un homme indifférent qui délaissait sa fille. Toujours selon Angeline, si Judd avait insisté pour en obtenir la garde d'Emmy, c'était uniquement par cruauté, par esprit de vengeance.

« C'est faux. Il est un bon père, cela se sent. »

Une demi-heure plus tard, Judd la trouva dans la bibliothèque où elle était allée s'installer avec un livre, pelotonnée dans un fauteuil en bambou.

— Que fais-tu là ? s'écria-t-il.

En short et T-shirt, les cheveux ébouriffés, il la contemplait avec stupeur.

— Tu te caches ?

— Mais non, je lis.

— Le dîner est servi.

— J'arrive. Le temps de me recoiffer, de…

— Tu es très bien comme tu es.

— Oh, je t'en prie !

— Tu es superbe.

— Tu te moques de moi ?

— Pas du tout. Je te trouve extrêmement belle.

— A d'autres !

— Tu ne sais pas que tu es extrêmement belle ? demanda-t-il.

— Angeline est d'une beauté exceptionnelle. Moi, je ne suis qu'ordinaire.

— Ordinaire, toi ? Qui a bien pu te dire pareille bêtise ?

— Ma tante Marthe. Tout le temps que j'ai vécu chez elle, j'ai entendu ce refrain au moins deux ou trois fois par jour.

Judd jura entre ses dents.

— Tu sais ce que tu vas faire à partir de maintenant ? Tu vas répéter deux ou trois fois par jour : « Je suis une femme superbe. Judd l'a dit et c'est l'entière vérité. »

Lise ne put s'empêcher de rire.

— Arrête ! Je n'ai rien de sophistiqué. Je ne suis pas élégante. Je…

Il lui coupa la parole.

— Tu es toi-même. Tu es vraie. Et — j'insiste — tu es belle. Très belle.

Lise se trouva à court de mots, ce qui lui arrivait rarement. Car Judd était sincère, elle en aurait mis sa main au feu.

— Autre chose, reprit-il. Tu es épuisée, non ? Tu as dormi tout l'après-midi.

— Je suppose que c'est la chaleur. Je n'en ai pas l'habitude.

— N'accuse pas la chaleur, s'il te plaît. Tu es dans un état de fatigue extrême, il ne faut pas être sorcier pour le deviner.

J'ai une proposition à te faire. Nous en parlerons ce soir, quand Emmy sera au lit.

— Je doute que tes propositions puissent m'intéresser.

— Attends de savoir de quoi il retourne avant de refuser.

— Ce que tu peux être autoritaire ! dit-elle en soupirant.

— Si tu crois que je suis arrivé là où j'en suis en me laissant marcher sur les pieds… Ce n'est pas toi qui va commencer !

— Ne me parle pas sur ce ton.

— Je te parlerai sur le ton qui me plaît, ma chérie.

— Ne m'appelle pas « ma chérie ».

Judd leva les yeux au ciel.

— Je plains les pauvres types qui sont dans ton équipe.

Lise ne put s'empêcher de sourire.

— Tout cela me semble si loin, en ce moment !

— Tant mieux. Au moins, tu te détends ici.

Lise se sentit soudain confuse.

— Je te suis très reconnaissante de m'avoir amenée ici, Judd. Surtout, ne t'imagine pas que j'aie des regrets. Tu as raison quand tu dis que je suis fatiguée. Mais il y a autre chose. J'ai peur que tu oublies la promesse que tu m'as faite avant de quitter Montréal. Nous menons des existences tellement différentes, toi et moi ! C'est un peu comme si nous vivions sur des planètes situées à des centaines de milliers de kilomètres. Alors, inutile de tenter un rapprochement, d'accord ? Moi, en tout cas, je suis bien décidée à garder mes distances.

Sidéré par sa franchise, il murmura :

— Au moins, quand tu as quelque chose sur le cœur, tu le dis !

— Autant mettre les choses au point tout de suite. Ça évite des problèmes.

Il secoua la tête.

— Tu es tellement différente des autres femmes ! Avec toi, je ne sais jamais sur quel pied danser.

Elle ne put s'empêcher de rire.

— Je ne t'ai pas demandé de danser.

En quelques enjambées, il la rejoignit. Soudain, il fut tout près d'elle. Si près que Lise pouvait voir chacun de ses cils sombres, la courbe de ses lèvres. Des lèvres bien ourlées, et si désirables… Que n'aurait-elle donné pour en suivre le dessin du bout du doigt ! A cette pensée, les battements de son cœur s'accélérèrent follement.

Judd jura de nouveau.

— Je me demande pourquoi j'ai fait une promesse aussi stupide.

— Moi aussi, je m'en suis fait une.

— Laquelle ?

— Celle de te résister.

Avec un sourire triomphant, Judd conclut :

— Deux promesses devraient pouvoir s'annuler.

— Sûrement pas. *Primo*, nous n'avons rien en commun. *Secundo*, je ne suis pas de celles qui apprécient les aventures sans lendemain.

— Je voyais quelque chose d'un peu plus long.

Sa voix changea.

— Allons, viens. Sally nous a grillé des langoustes. Mieux vaut les manger tant qu'elles sont chaudes. Elle serait déçue d'avoir fait tant d'efforts pour rien.

— Tu es gentil avec ton personnel.

— Evidemment ! Je ne suis pas un ogre.

« Non. Tu es l'homme le plus sexy du monde », faillit rétorquer Lise.

Grâce au ciel, elle s'était retenue à temps. Une nouvelle fois, elle se demanda ce qui lui arrivait.

Après dîner, Judd alla mettre Emmy au lit, comme la veille. L'enfant, qui avait passé la plus grande partie de sa journée dans l'eau et tombait de sommeil, ne protesta pas.

— Tu veux faire une partie d'échecs ? proposa Judd à Lise en la rejoignant sur la terrasse.

— Volontiers.

— Tu sais y jouer ?

— Un peu.

Une heure plus tard, Judd annonça avec satisfaction :

— Echec et mat !

— C'est ma faute. J'aurais dû bloquer plus tôt ton cavalier.

— Tu joues bien, commenta-t-il.

— C'est Stephan, l'un de mes collègues, qui m'a appris au cours des permanences de nuit.

Elle se leva.

— Mais comme, cette nuit, je ne suis pas de permanence, je vais aller dormir. Bonsoir.

Judd mit les mains dans son dos, se pencha et l'embrassa en plein sur la bouche. Lise sentit aussitôt ses forces l'abandonner. Soudain, ses jambes ne la portaient plus tandis que, les yeux clos, les sens en feu, elle savourait ce baiser.

Quand il se redressa, elle recula d'un bond.

— Judd… non !

— C'était juste un petit baiser pour te souhaiter une bonne nuit.

D'un geste du menton, il désigna ses mains qui étaient toujours dans son dos.

— Et je n'ai pas rompu ma promesse, annonça-t-il triomphalement. Je ne t'ai pas touchée.

— Ne joue pas avec moi.

— Je ne joue pas, protesta-t-il d'un air innocent. Je t'ai embrassée parce que j'en mourais d'envie. Et toi aussi ! Admets-le, Lise.

Sans répondre, elle courut se réfugier dans sa chambre.

Jamais de sa vie elle n'avait éprouvé pour un homme ce qu'elle éprouvait pour Judd Harwood. Elle comprenait maintenant pourquoi elle avait toujours tenu ses distances avec Dave.

Près de dix ans auparavant, à ses débuts dans ce métier, elle avait cru tomber amoureuse de l'un de ses collègues. Leur liaison n'avait duré que quelques mois et n'avait pas été une réussite. Son compagnon avait rompu après avoir découvert que son adresse prestigieuse à Outremont était en réalité celle de sa tante Marthe. Lise avait cessé de l'intéresser le jour où il avait compris que jamais elle n'hériterait de cette somptueuse demeure et de la fortune qui, certainement, allait avec.

Après cette expérience plutôt humiliante, Lise s'était méfiée des hommes. De *tous* les hommes. Et, maintenant, de Judd Harwood en particulier.

Le lendemain, Judd et Emmy l'emmenèrent visiter Roseau, la capitale de l'île de la Dominique. Le marché battait son plein et Lise acheta quelques objets en vannerie et des colliers en coquillages.

Ils rentrèrent dîner à la villa. Ce soir-là, il ne fut pas question de partie d'échecs, ni de baisers dans la nuit veloutée. Ni de la fameuse proposition dont, en réalité, elle ne voulait rien entendre.

Ils consacrèrent le reste de leur séjour au farniente sur la plage ou au bord de la piscine. Bronzage, natation, lecture… La peau très claire de Lise était devenue d'une jolie couleur abricot — une teinte qui donnait à ses merveilleux yeux verts un nouvel éclat.

Lise n'avait pas vraiment réussi à apprivoiser Emmy. Plusieurs fois, elle avait surpris le regard songeur de l'enfant posé sur elle. Que pensait la fillette ? Même Judd admettait que cette dernière avait un tempérament très secret.

Mais Emmy avait dû voir tant de compagnes défiler aux côtés de son père qu'elle ne faisait probablement pas plus attention à Lise qu'à la précédente ou à celle qui suivrait.

En tout cas, l'enfant n'avait pas eu un seul cauchemar depuis son arrivée sur l'île.

Quant à Judd, fidèle à sa promesse, il gardait désormais ses distances. Lise aurait dû se sentir soulagée. Ce n'était pas le cas, hélas ! Plus Judd paraissait l'ignorer, plus elle le désirait, plus elle se sentait nerveuse et irritable.

Peut-être avait-il décidé qu'elle ne valait pas la peine qu'il fasse un effort ? Pourquoi se serait-il donné du mal, quand la plupart des femmes ne demandaient qu'à rejoindre son lit ?

Le séjour touchait déjà à sa fin. Le lendemain, ils devaient s'envoler pour Montréal. Une pensée qui n'avait rien de bien réjouissant car une nouvelle vague de froid venait de s'abattre sur le Canada.

Comme le départ aurait lieu assez tôt, Emmy avait dîné avant les adultes. Elle était déjà au lit quand Lise se prépara pour la soirée.

La fameuse robe en soie vert jade était restée suspendue dans son placard depuis son arrivée à la Dominique. Quel dommage de ne pas l'avoir portée une seule fois !

Sans hésiter davantage, Lise l'enfila après s'être maquillée avec plus de soin que d'ordinaire.

Lorsqu'elle contempla son reflet dans le miroir, elle en eut le souffle coupé. Elle se reconnaissait à peine. Cette créature de rêve au corps voluptueux et aux cheveux de feu était-elle bien Lise Charbonneau ?

6.

Sans vraiment le voir, Judd avisa le festin que Sally avait disposé sur la terrasse. Une salade de mangue, des crevettes au curry, du rôti de porc à la sauce créole… et deux ou trois plats tout aussi appétissants. Son devoir accompli, la cuisinière était partie assister à une fête dans le village voisin. Quant à Emmy, elle dormait déjà.

Le moment n'aurait pas pu être mieux choisi pour une grande scène de séduction.

Hélas pour Judd, il n'en était pas question !

Il entendit bientôt le claquement des talons de Lise résonner sur les dalles. Il se retourna et demeura médusé en voyant la créature de rêve qui s'avançait vers lui à pas lents. Elle avait mis la fameuse robe vert jade. Une robe dont la matière très fluide suggérait plus qu'elle ne les soulignait les formes de son corps.

— Lise, je ne sais pas quoi dire, déclara-t-il enfin d'une voix étranglée. Tu es superbe.

Il n'osait pas faire un geste alors qu'il aurait tant voulu la prendre dans ses bras. Mais cette maudite promesse l'empêchait d'en rien faire !

Lise le fixait droit dans les yeux. Son expression demeurait impénétrable — aussi impénétrable que celle d'Emmy.

Soudain, comme dans un film au ralenti, elle lui prit la main et la posa sur son épaule.

— Tu peux me toucher, s'entendit-elle dire.

Elle n'avait pas reconnu sa voix. Etait-ce bien elle qui avait prononcé ces mots-là ? Des mots qui lui étaient venus tout naturellement aux lèvres.

Encore mal revenu de sa surprise, Judd balbutia :

— Tu... tu es sûre ?

— Je ne sais pas, répondit-elle avec sa franchise habituelle.

— Pourquoi as-tu mis cette robe ?

— Je ne sais pas, répéta-t-elle. Un coup de tête.

Il n'en fallut pas davantage pour que Judd l'enlace passionnément. Le corps de la jeune femme, tout en courbes douces, se lova contre son corps musclé.

Leur étreinte ne dura que quelques instants. Judd fut le premier à retrouver ses esprits. « Un coup de tête. » Ces quelques mots ne cessaient de le hanter. Demain, Lise risquait de regretter ce moment d'abandon.

Quant à lui... A vrai dire, il ne savait plus très bien où il en était. Lise n'aurait probablement pas protesté s'il l'avait emmenée dans sa chambre pour lui faire l'amour toute la nuit. Mais après cela ?

Cette femme éveillait en lui des sentiments qui lui faisaient peur. De la tendresse, le désir de la protéger, de l'aimer, peut-être. Or, après Angeline, il s'était juré de ne plus jamais se laisser prendre à un tel piège.

— Si nous dédaignons son dîner, Sally va être furieuse, déclara-t-il d'un ton léger.

— Tu préfères manger ? lança Lise, profondément blessée. Libre à toi.

— Ce n'est pas ça, mais...

Elle lui coupa la parole.

— Pas la peine de te justifier, Judd. Message reçu 5 sur 5.

Et, s'approchant du buffet décoré d'orchidées et de grandes fougères, elle murmura :

— Voyons, que nous a-t-elle préparé de bon ?

« Tu es un bel idiot », se dit Judd un peu plus tard, seul dans sa chambre.

Angeline n'était jamais venue à la Dominique. Elle n'appréciait pas les îles tranquilles. Seuls les endroits à la mode trouvaient grâce à ses yeux. Il lui fallait des casinos et des restaurants de luxe.

C'était la première fois que Judd amenait une femme dans son petit paradis. Et à cause de cette maudite promesse, on ne pouvait pas dire que ce séjour avait été très réussi.

Peut-être était-ce justement à cause de ce serment que Lise hantait ses jours et ses nuits ? S'ils avaient fait l'amour dès le premier soir, il est probable qu'il se serait déjà lassé d'elle, comme des autres.

Mais il ne voulait plus penser à Lise. Demain, il la déposerait chez elle et, après cela, ils n'auraient plus l'occasion de se voir. Il avait assez à faire dans la vie sans s'encombrer de complications sentimentales.

Incapable de dormir, Judd ouvrit un magazine économique. Deux heures plus tard, alors qu'il était en train de lire un article concernant les fluctuations du prix des carburants, un cri perçant déchira le silence.

Emmy faisait de nouveau un cauchemar !

Judd courut jusqu'à la chambre de sa fille. Mais l'enfant dormait paisiblement, serrant Plush dans ses bras.

Qui avait donc poussé ce hurlement de terreur ?

Il entra dans la chambre de Lise sans même songer à frapper.

— C'est toi qui as crié ?

— Il… il y a une bête…

Il alluma et éclata de rire en voyant un lézard courir sur le lit avant de prendre la fuite en suivant un des piliers du lit. Une seconde plus tard, il avait disparu. Terrifiée, Lise s'était couvert la tête de son drap.

Judd se mit à rire si fort qu'il dut s'asseoir sur le lit.

— Il… il a couru sur ma figure, balbutia-t-elle. Il… il m'a réveillée. Arrête de rire, Judd ! Ce n'est pas drôle !

— Tu es capable d'entrer dans des maisons en flammes et tu as peur d'un malheureux lézard ?

— J'aurais voulu t'y voir ! Je dormais quand cet animal glacé m'a attaqué.

Judd riait plus que jamais.

— Je n'ai encore jamais vu un lézard agressif. Le pauvre ! Il a dû avoir encore plus peur que toi.

Il cessa brusquement de rire. Il venait de s'apercevoir qu'ils étaient tous les deux presque nus. Il ne portait qu'un short, et Lise, l'une des chemises de nuit en soie transparente qu'il avait choisies à son intention.

Sans plus réfléchir, il se pencha et l'attira contre lui. Une fraction de seconde plus tard, leurs lèvres se rencontraient dans un baiser sans fin.

Un baiser qu'elle lui rendit avec une ardeur qui eut pour effet de décupler son désir.

Il la voulait, elle le voulait… Pourquoi résister davantage à la faim qu'ils avaient l'un de l'autre ?

Judd s'enivrait de la tiédeur de la chair de Lise, de son parfum, de la douceur de sa peau sous ses doigts et sous ses lèvres.

— Judd, dit-elle dans un souffle, s'arquant contre lui tandis qu'il lui caressait les seins.

Le désir qu'ils avaient l'un de l'autre grandit encore. Avec des gestes fiévreux, ils se débarrassèrent mutuellement de leurs vêtements et se retrouvèrent nus dans les bras l'un de l'autre.

— Tu es belle. Si belle !

Toutes ses inhibitions oubliées, Lise s'offrait à son compagnon. Les caresses de Judd devenaient de plus en plus précises, et elle-même n'était pas en reste. De ses mains, de ses lèvres, elle voulait explorer chaque centimètre carré de ce corps tout en muscles.

Leurs cœurs battaient à l'unisson, à un rythme précipité. Déjà, ils ne faisaient plus qu'un, tandis qu'ils commençaient la plus vieille danse du monde. Lise avait l'impression de naviguer vers des rivages inconnus, des rivages qui n'étaient que plaisir et volupté. Puis elle eut l'impression que Judd l'emmenait haut, très haut, vers des sommets où le plaisir atteignait une intensité presque intolérable.

Ensemble, ils atteignirent l'extase avant de se rejeter sur les oreillers, leurs sens enfin satisfaits.

Rassasiée, rayonnante, Lise ouvrit les yeux. Quant à Judd, qui n'était pas homme à ignorer le plaisir physique, c'était la première fois qu'il ressentait une pareille jouissance dans les bras d'une femme.

— J'ai l'impression…, commença Lise.

Elle hésita avant de lancer d'un trait :

— J'ai l'impression d'avoir été vierge jusqu'à maintenant.

Après un silence, elle ajouta :

— Oui, c'est un peu comme si je n'avais encore jamais fait l'amour.

Elle posa la tête sur la poitrine de Judd.

« Je t'aime. »

Ce tendre aveu s'était arrêté à temps sur ses lèvres. Il n'était pas de mise pour le moment.

— C'était merveilleux, se contenta-t-elle de murmurer.

Judd la serra doucement contre lui.

— Par moments, les mots sont inutiles. Ils sont trop faibles pour décrire ce que nous ressentons vraiment.

Oui, cela avait été merveilleux, songeait Judd. Mais mieux valait éviter de dire des choses qu'il risquait de regretter par la suite.

Les femmes s'imaginaient tout de suite que c'était pour la vie. Or il refusait de s'engager. « Liberté et indépendance », telle était sa devise. Il avait vécu ainsi depuis son divorce et ce n'était pas une rousse passionnée qui allait le faire changer d'avis.

Il déposa un léger baiser sur l'épaule de Lise.

— Tu es terriblement sensuelle.

— Je pourrais te retourner le compliment, chuchota-t-elle en se lovant contre lui.

— J'ai bien envie de créer une société pour la protection des lézards.

Comme il s'y attendait, elle éclata de rire.

— Celui-ci nous a rendu un grand service, ajouta-t-il en l'enlaçant.

Il la désirait de nouveau. Il avait envie de lui faire l'amour de toutes les manières possibles. Pourtant, il pressentait que même s'il la possédait à en perdre le souffle et la raison, il ne réussirait pas à se rassasier de son corps. A cette pensée, son visage s'assombrit. Le lézard ne lui avait pas forcément rendu un grand service.

De quoi demain serait-il fait ? A cette pensée, l'angoisse le saisit. Il ne voulait pas souffrir, il avait déjà assez souffert à cause d'Angeline. Et il ne voulait pas, non plus, faire souffrir Lise. Il s'efforça de se dominer. Lui qui avait l'habitude de mener sa vie à sa guise n'allait tout de même pas avoir peur d'une femme !

C'était décidé : demain, il déposerait Lise chez elle pour ne plus jamais la revoir. Et une fois qu'il aurait retrouvé sa chère liberté et sa chère indépendance, il recommencerait à multiplier les aventures d'un soir.

Il se souvint soudain de la proposition qu'il voulait faire à Lise. Il ne lui en avait pas encore parlé. Si cela concernait surtout Emmy, en pratique, cela l'impliquait lui aussi. Surtout après ce qui venait de se passer.

Lise venait de se donner à lui avec une simplicité, une ardeur et un abandon qui l'avaient sidéré. Hélas, il se rendait compte que cette idylle risquait, par la suite, de devenir une source de problèmes. Par conséquent, mieux valait éviter de mentionner cette fameuse proposition. Demain, il lui dirait au revoir. Et ce serait fini. Oui, c'était préférable ainsi.

— A quoi penses-tu ? lui demanda la jeune femme.

Il s'efforça de sourire.

— Tu ne devines pas ? Je voudrais recommencer.

La réponse de Lise ne se fit pas attendre.

— Moi aussi.

7.

Le chant des oiseaux, dans les grands jacarandas, tira Lise d'un sommeil sans rêves. Avant même d'ouvrir les yeux, elle étendit le bras du côté de Judd, dans un geste plein d'une délicieuse langueur. Mais sa main ne rencontra que le vide.

Soulevant les paupières, elle découvrit le fouillis de draps au milieu duquel elle était nue.

Où Judd se trouvait-il ?

Il avait dû regagner sa propre chambre, bien sûr ! Il fallait respecter les convenances si par hasard Emmy se réveillait et le cherchait.

Mais avant de la quitter, il aurait quand même pu la réveiller pour l'embrasser.

Un petit tas blanc et soyeux gisait sur les dalles en terre cuite. Sa chemise de nuit.

Un sourire heureux lui vint aux lèvres. Il avait fallu qu'elle vienne sur une île tropicale pour comprendre que l'acte d'amour pouvait être merveilleusement beau. Et c'était Judd Harwood qui lui avait appris cela.

Une ombre ternit soudain son bonheur. Judd était très expérimenté. Forcément, il avait tenu tant de femmes dans ses bras. « J'ai dû lui paraître aussi gauche que naïve », pensa-t-elle, le cœur lourd.

79

Elle n'avait pas oublié ce que lui avait dit Angeline à Outremont, au cours de l'une de ses rares visites après son mariage.

D'un air désabusé, celle-ci avait déclaré, en haussant les épaules :

— Les femmes se jettent toutes dans ses bras. Il se contente de prendre ce qu'on lui offre. Comment pourrait-on lui en tenir rigueur ?

Lise avait beaucoup admiré sa cousine. Elle savait faire la part des choses et ne se montrait ni jalouse ni possessive. De grandes qualités, avait-elle alors estimé.

« Si Judd et moi formions un vrai couple, je ne pourrais pas supporter qu'il en regarde une autre », se dit-elle.

Une violente rougeur couvrit ses joues. La veille, elle s'était donnée à Judd sans la moindre retenue, se comportant exactement comme toutes les femmes qui se jetaient dans ses bras.

Qui pouvait le blâmer d'avoir pris ce qu'elle lui offrait ?

En acceptant de devenir un numéro au bout d'une liste déjà interminable, elle s'était dépréciée à ses propres yeux. Comme à ceux de Judd, sans doute.

Elle courut dans la salle de bains et se frictionna longuement sous la douche, espérant par ce rituel effacer la trace des caresses de son amant.

Mais parviendrait-elle à l'effacer aussi aisément de sa mémoire ? De ses sens ?

« Avec le temps, j'arriverai bien à l'oublier », se dit-elle.

Elle revêtit une robe en cotonnade imprimée de couleurs vives. Un modèle qu'elle n'avait pas encore eu l'occasion de porter et qui serait parfait pour le voyage – à condition qu'elle se change avant l'arrivée à Montréal !

En voyant que Judd était seul sur la terrasse où était servi le petit déjeuner, Lise faillit faire demi-tour. Elle se força néanmoins à poursuivre son chemin.

— Bonjour, Judd, lança-t-elle avec un enthousiasme forcé sans le regarder. Où est Emmy ? Oh, des papayes ! Et des croissants chauds !

Sur ce, elle lui tourna le dos pour se servir une tasse de café.

— Emmy est sur la plage avec Sally. Tu as bien dormi ?

Cette fois, elle lui fit face pour lui demander :

— Quand es-tu parti ?

— Vers 5 heures du matin. Emmy se réveille toujours très tôt et j'ai voulu éviter qu'on se trouve dans une situation embarrassante.

— On n'aurait jamais dû…

— Ce qui est fait est fait, coupa-t-il. Et maintenant, comment vois-tu la suite des événements ?

— On rentre chacun chez soi après s'être dit poliment au revoir.

C'était également l'avis de Judd. Pourtant, un démon le poussa à déclarer :

— Je t'avais parlé d'une proposition…

Lise laissa échapper un rire amer.

— Tu ne m'as rien proposé, tu as agi.

— Ne parle pas ainsi, Lise, cela ne te ressemble pas. Je t'en prie, n'abîme pas ce qui s'est passé entre nous.

— Que s'est-il donc passé ?

— Nous avons fait l'amour. Ce qui a représenté pour moi une expérience inoubliable.

— Une expérience aussi inoubliable que toutes les autres, je parie.

— Tu regrettes d'avoir couché avec moi ?

— Evidemment.

— Je ne te crois pas. Tu criais mon nom, tu me laboursais le dos de tes ongles… et c'était merveilleux. Admets-le !

81

— Selon moi, il n'agissait que d'une aventure d'une nuit. Ça ne m'était encore jamais arrivé, mais je pense que ça ne se reproduira pas.

— Je sais que tu n'es pas une femme frivole, Lise, c'est d'ailleurs la raison pour laquelle je souhaite te faire une proposition. Voilà, je voudrais que tu t'occupes d'Emmy. Tu la conduirais à l'école, tu irais la chercher, tu la garderais jusqu'à mon retour du bureau. Le reste du temps, tu serais libre. Evidemment, il faudrait que tu abandonnes ton emploi actuel. Quant à ton salaire…

Le chiffre qu'il cita la fit ciller.

— Tu essaies de m'acheter ?

— Il ne s'agit pas de ça ! Je te propose un job.

— Où dormirai-je ?

— Une fois que les réparations seront terminées, tu disposeras d'un appartement avec entrée indépendante.

— Et tant que la maison sera encore en travaux ?

— Tu auras une chambre dans l'aile des invités.

Lise fulminait.

— Le salaire est bon, même pour un double emploi, lança-t-elle d'un ton ironique.

Il fronça les sourcils.

— Un double emploi ? Comment cela ?

— Bonne d'enfants et maîtresse. Tu te moques de moi ? Désolée, c'est non.

— Tu déformes tout ce que je dis. Tâche d'être raisonnable, pour une fois. Si tu t'occupais d'Emmy, tu ne serais pas épuisée comme tu l'es en ce moment par un travail trop dur. Et tu ne risquerais pas ta vie à chaque instant.

Elle aurait pu lui dire qu'il y avait maintenant des mois qu'elle rêvait de donner sa démission. Et voilà qu'il lui offrait un job en or…

— Désolée, c'est non, répéta-t-elle.

— Bon sang, je t'assure que ce n'est pas dans l'espoir que tu deviennes ma maîtresse que je te fais cette proposition. Tu serais parfaite pour prendre soin d'Emmy.

— Elle ne m'aime pas.

— Cela viendra en son temps.

La colère de Lise allait croissant.

— En me proposant de m'occuper de ta fille, tu essaies de te donner bonne conscience ? Ça te permettrait en toute tranquillité de te balader d'un bout du monde à l'autre pour faire le joli cœur dans des réceptions, te montrer dans les endroits à la mode, draguer…

— C'est Angeline qui t'a dit que mes voyages n'étaient que des divertissements ? Vous oubliez toutes les deux que je suis à la tête de plusieurs entreprises. Des compagnies d'aviation, pour être précis ! Tu crois qu'on dirige des sociétés de ce genre en restant tout le temps assis derrière un bureau ?

Lise se sentit soudain très lasse.

— Judd, j'ai eu tort de venir ici. La chose la plus intelligente que nous ayons à faire, c'est de partir chacun de notre côté en oubliant ce qui s'est passé la nuit dernière.

Elle laissa échapper un soupir de soulagement.

— Ah, voici Emmy !

La petite fille se trouvait encore en bas de la pelouse qui descendait en pente douce jusqu'à la plage.

Le cœur lourd, Lise contempla le beau visage de Judd. Inutile de se leurrer, rien n'était possible entre eux.

— Pour toi, les gens ne sont que des pantins, dit-elle en soupirant. Des pions sur un jeu d'échec que tu déplaces à ta guise, au gré de tes besoins, de tes humeurs. Je refuse d'être traitée de cette façon.

D'un ton neutre, elle ajouta :

— Je vais faire ma valise. A tout à l'heure.

Il ne cherchamême pas à la retenir. En voyant son visage fermé, son regard dur, Lise eut soudain l'impression de ne pas le connaître.

Tristement, elle retourna dans sa chambre. Ainsi, il lui allait falloir abandonner cette pièce si joliment décorée. Cette pièce où elle avait vécu de merveilleuses heures d'abandon.

Machinalement, elle se mit en devoir de faire ses bagages.

Oui, Angeline disait vrai quand elle assurait que Judd considérait les gens comme des pions.

Dix heures plus tard, la longue limousine noire s'arrêtait devant l'immeuble où habitait Lise. Le ciel était gris et il y avait encore un peu de neige sale sur les trottoirs où les gens se hâtaient, l'air revêche.

Lise embrassa la fillette.

— Bon courage pour la reprise de l'école, Emmy.

Elle se tourna ensuite vers Judd.

— Merci encore pour ces quelques jours de vacances.

— Je t'accompagne jusqu'à ta porte.

— Ce n'est pas la peine. Je…

Il lui lança un tel regard qu'elle se trouva réduite au silence. Elle alla ouvrir le coffre.

— Je prends seulement mon sac de voyage, je te laisse le reste.

— Tu emportes aussi la valise et les vêtements que je t'ai offerts. Pas de discussion.

— Bon, pas de discussion, répéta-t-elle avec lassitude.

Judd porta ses bagages jusque dans l'entrée de l'immeuble. Ses yeux demeuraient impénétrables tandis qu'il disait avec gravité :

— Bientôt, tu retourneras travailler. Je t'en prie, sois prudente. Ne prends pas de risques.

— Il a bien fallu que j'en prenne pour sauver Emmy.

Judd soupira.

— Appelle-moi si tu changes d'avis au sujet du travail que je t'ai proposé. Au revoir, Lise.

— Au revoir.

Quelques instants plus tard, la limousine disparaissait au coin de la rue. Voilà, tout était fini. Judd était parti sans même lui donner un baiser, sans même proposer de la revoir.

Mais n'était-ce pas exactement ce qu'elle souhaitait ?

Son petit appartement lui parut déprimant. Et glacial. Elle mit le chauffage et commença à défaire ses valises.

Lorsqu'elle suspendit la robe vert jade, elle eut l'impression que son cœur s'arrêtait de battre. Cette robe, Judd l'avait choisie à son intention. Et la délicatesse de ce geste l'avait touchée au point qu'elle avait accepté de partir avec lui.

Au cours de ce séjour, elle avait découvert ce que signifiait vivre vraiment, intensément... grâce à Judd.

Elle baissa la tête. A quoi bon ressasser tout cela ?

Il fallait qu'elle se fasse une raison. Cette robe ne représentait rien d'autre qu'une brève parenthèse dans son existence. Maintenant, elle allait redevenir elle-même. Une grande fille toute simple en jean et bottes ignifugées.

Le temps devint un peu plus clément en avril et l'on vit enfin apparaître des crocus et des jonquilles sur les pelouses des jardins publics.

Lise avait repris son service. La première semaine fut terrible. Judd hantait ses pensées, nuit et jour. Elle dormait mal et se sentait plus fatiguée que jamais. Les drames auxquels elle se trouvait confrontée quotidiennement lui paraissaient insupportables.

La seconde semaine fut encore plus dure. Il y eut un énorme carambolage sur l'autoroute, qui fit plusieurs morts et de nombreux blessés. Le lendemain, trois personnes périrent dans un incendie volontaire. Le surlendemain, Dave se cassa le bras dans un hangar en proie aux flammes. Le jour suivant, ce fut au tour de Stephan d'être emmené dans une unité de soins intensifs pour avoir inhalé trop de fumée.

« Je n'en peux plus », ne cessait-elle de se répéter.

Ce vendredi, son service se termina à 19 heures. Elle avait droit maintenant à deux jours de repos. Après avoir troqué son uniforme contre un jean, un pull et une parka, elle sortit et, au lieu de regagner son domicile, entra dans le premier pub venu.

Elle avait besoin de voir du monde, de manger un plat chaud. D'oublier toutes les horreurs qui faisaient son quotidien — des horreurs qu'avec un peu de prudence, les victimes auraient pu souvent éviter.

Oui, elle était à bout, et dans ces conditions, elle comprenait qu'il valait mieux ne pas insister. Cette fois, elle était bien décidée à changer de travail. Elle allait devenir assistante vétérinaire. Mais aurait-elle assez d'argent pour payer les cours ? Après s'être assise à une table située un peu à l'écart, elle sortit un carnet et se mit en devoir de faire des calculs.

« Je n'ai pratiquement plus rien sur mon compte. C'est ma faute ! Si je n'avais pas fait ce voyage organisé en Europe l'été dernier, j'aurais encore quelques économies. »

— Je peux m'asseoir avec toi ?

Le cœur de Lise fit un bond dans sa poitrine. Cette voix, elle l'aurait reconnue entre toutes.

— Tiens, Judd ! Bonsoir.

La serveuse que Lise attendait depuis au moins dix minutes arriva immédiatement, tout sourire. Après avoir pris leur commande, elle s'éloigna en ondulant des hanches. Mais Judd ne la regardait pas. Il n'avait d'yeux que pour elle.

— Tu as une mine épouvantable.

— Merci ! On peut savoir ce que tu fais ici ? C'est juste un hasard ?

— Non. Je t'ai suivie quand tu as quitté la caserne.

— Tu exagères !

La serveuse vint poser une chope de bière devant Judd et un verre de vin blanc devant Lise.

— Les plats arrivent tout de suite.

Après son départ, Judd déclara :

— Je viens te renouveler mon offre. En doublant le salaire que je t'avais proposé.

Lise fit tourner son verre entre ses doigts. Judd arrivait juste au moment où elle ne savait plus trop de quel côté se tourner.

Son endurance avait des limites. Si elle s'entêtait à garder son emploi actuel, elle allait craquer. Elle ferma son carnet. En acceptant de travailler pour Judd, elle réussirait en peu de temps à gagner de quoi payer la formation pour devenir assistante vétérinaire.

Elle hocha la tête.

— C'est d'accord. Pour quatre mois.

— Pourquoi seulement quatre mois ?

— Ça devrait me permettre d'économiser suffisamment.

Brièvement, elle lui expliqua ses projets.

— Tu veux changer de métier ?

— Il y a longtemps que j'y pense.

— Tu ne me l'avais pas dit. Y a-t-il d'autres choses que tu ne m'as pas dites ?

— Possible.

Elle attaqua la tranche de rôti accompagnée de frites que la serveuse venait de poser devant elle. Pour la première fois depuis des jours, elle avait faim.

Tout s'arrangeait. Elle allait pouvoir donner sa démission et commencer une nouvelle vie. Quant à Judd… Elle s'arrangerait pour le tenir à distance. Une femme qui travaillait dans un milieu exclusivement masculin — pour ne pas dire macho —, savait comment tirer son épingle du jeu.

Judd n'avait pas encore touché à son plat.

— Je me demande si je te comprendrai un jour, déclara-t-il enfin.

— Tu n'as même pas besoin d'essayer. Tu m'engages pour m'occuper d'Emmy, pas de toi.

— Quand pourrais-tu commencer ?

— Dans quinze jours. Je n'ai que deux semaines de préavis à donner.

— Que feras-tu de ton appartement ?

— Avec un salaire comme celui que je vais recevoir, je peux me permettre de le garder. J'en aurai besoin quand je cesserai de faire partie de ton personnel.

— Tu t'en iras même si Emmy s'attache à toi ?

A ces mots, le visage de la jeune femme changea.

— Tu aurais pu penser à cette éventualité avant de me faire une proposition pareille.

Après un instant de réflexion, elle poursuivit :

— Admets que cet arrangement nous convient à tous les deux. Ça te convient d'avoir quelqu'un chez toi pendant tes absences. Quant à moi, ça m'arrange de gagner de quoi prendre les cours qui m'intéressent.

— Et Emmy ?

— Je la préviendrai dès le départ qu'il s'agit d'un arrangement temporaire, naturellement.

— Tu as réponse à tout. Il reste cependant un élément…, commença-t-il.

Elle ne le laissa pas en dire davantage. Rougissant soudain, elle déclara :

— L'interlude de la Dominique n'était que… qu'un accident. Pas question de recommencer. Il faut qu'on soit bien d'accord sur ce point.

88

— Lise, as-tu pensé à moi depuis ton retour ?

La rougeur de la jeune femme s'accentua. Ce fut cependant d'un ton cassant qu'elle lança :

— Si tu crois que j'en ai eu le temps ! J'avais autre chose à faire.

Il éclata de rire.

— Tu n'as pas perdu ton esprit de repartie. Et maintenant que tu as repris ton travail, quel genre de rêves fais-tu ?

Elle n'allait certainement pas lui avouer que la plupart étaient érotiques. Ni qu'il y jouait le rôle le plus important.

— Tu rêves de moi ? insista-t-il.

— Pas souvent. Mais quand je fais un cauchemar, tu y apparais comme une brute sadique.

Judd fronça les sourcils.

— Emmy a eu un cauchemar cette nuit. C'est d'ailleurs pour cela que je t'ai suivie ici aujourd'hui. Tu viens souvent dans ce pub ?

— Quelquefois.

— Seule ?

— Pas toujours.

— Comment va Dave ?

— Il s'est cassé le bras l'autre jour, dans l'incendie d'un hangar.

— Tâche de faire attention à toi pendant les deux semaines à venir.

Il avait parlé avec une telle sincérité que Lise en demeura sans voix.

— Que t'arrive-t-il ? demanda-t-elle enfin. On dirait que tu tiens à moi.

Et, avec la franchise brutale qui lui était habituelle, elle s'enquit :

— Tu ne serais pas un peu amoureux de moi, par hasard ?

— Je suis tombé amoureux fou d'Angeline quand j'avais vingt-trois ans. Mais notre mariage a été un tel échec que je suis désormais complètement immunisé. L'amour ? C'est bien fini pour moi ; je m'en méfie comme de la peste.

— Tu aimes toujours Angeline ?

— On n'a pas besoin d'être amoureux pour savoir que tu fais un métier dangereux. Si tu tombes du sixième étage d'un immeuble en flammes...

Il avait fait mine de ne pas entendre sa question au sujet d'Angeline. Ce qui était presque un aveu. Et quoi de surprenant ? La cousine de Lise était une telle beauté ! N'avait-elle pas, plusieurs années de suite, été élue parmi les dix plus belles femmes du monde ?

— Tu as dit que tu pouvais commencer dans quinze jours ? demanda Judd.

— Oui.

Il sortit son agenda relié en cuir.

— Nous sommes le vendredi 12. Je viendrai te chercher le samedi 27 à 8 heures du matin. Ça te convient ?

— Oui.

Après un silence, elle murmura :

— Je suis folle d'avoir accepté. Nous sommes adultes ; nous devons, en principe, être capables de faire face aux conséquences de nos actes. Mais je ne veux pas faire souffrir Emmy. Tu ferais mieux de chercher quelqu'un d'autre pour s'occuper d'elle. Quelqu'un qui ne partira pas au bout de quelques mois. Quelqu'un qui saura lui donner toute la tendresse, toute la sécurité dont elle a besoin. Cette personne-là, ce n'est pas moi.

D'une voix sèche, Judd déclara :

— Tu as accepté. Il est trop tard pour revenir sur ta décision.

La serveuse apparut avec la carte.

— Un dessert ?

— Non, juste un café, s'il vous plaît, dit Lise.

— Pour moi aussi, ajouta Judd.

Il posa sa main sur la sienne. Ce simple contact suffit à la troubler. Elle le désirait encore, elle le désirerait toujours.

Avec brusquerie, elle se dégagea.

— Vivre sous le même toit que toi ? s'écria-t-elle. Ça va être épouvantable !

— Tu me détestes donc à ce point ?

— Tu m'es indifférent, prétendit-elle. Seule Emmy doit compter pour moi au cours des mois à venir.

D'un ton où perçait un certain défi, elle demanda :

— Aura-t-elle l'occasion de voir sa mère pendant que je serai là ?

— Angeline a le droit de la voir quand elle veut.

— Ce n'est pas une réponse.

— Je ne peux pas t'en donner d'autre.

La serveuse avait apporté l'addition en même temps que les cafés. Plus lasse que jamais, Lise déposa deux billets sur la table et se leva.

— Bon ! On se revoit dans quinze jours ?

— Samedi 27 à 8 heures du matin. Tâche d'être prête : ce jour-là, j'ai un rendez-vous important à 10 heures.

— Au revoir, Judd, dit-elle en enfilant sa parka.

— A bientôt.

8.

En quittant le pub, Lise se mit à marcher d'un bon pas, les mains dans ses poches. Elle arrivait à l'arrêt du bus quand on la héla.

De l'autre côté de la rue, Dave lui faisait signe.

— Comment va ce bras ? lui demanda-t-elle.

— Toujours dans le plâtre, comme tu vois. Tu as le temps de prendre un café ?

Comment aurait-elle pu refuser ?

Un peu plus tard, assise en face de lui dans un bar sympathique où l'on ne passait que des disques de jazz, elle déclara :

— Autant que je te mette au courant. J'ai l'intention de donner ma démission demain.

Il posa brusquement sa tasse de café.

— Tu t'en vas ?

— Oui. Je suis à bout. Si je continue à ce rythme, je vais craquer.

— Tu pourrais demander à travailler dans les bureaux.

— Non. J'ai besoin de changement. Les désastres, les drames, les tragédies, c'est au-dessus de mes forces.

— Que vas-tu faire ?

— Devenir assistante vétérinaire.

Elle prit une profonde inspiration.

— Mais pour le moment, je vais m'occuper d'enfants. Tu te souviens de la petite fille que j'avais secourue tout en haut d'une maison en flammes ?

— On avait vu son père à l'hôpital, non ?

Dave lui adressa un coup d'œil peu amène avant de demander :

— Tu es restée en contact avec lui ?

— Je le connais depuis des années : c'est l'ex-mari de ma cousine.

— Méfie-toi. Ce type ne m'inspire pas confiance. C'est le genre d'homme pour qui la fin justifie les moyens.

Lise haussa les épaules.

— Dave, je vais m'occuper de sa fille ! D'ailleurs, je n'aurai pratiquement pas l'occasion de le voir : il est toujours en voyage.

— Tu vas me manquer, tu sais. J'aurais tant voulu…

Lise se sentit horriblement gênée.

— Je t'en prie, Dave, ne dis pas des choses pareilles. Je suis navrée à propos de… de ce malentendu. Mais tu le sais aussi bien que moi : je ne suis pas du tout celle qu'il te faut. J'espère que tu la rencontreras un jour. Tu es quelqu'un de bien, tu mérites d'être heureux.

— C'est seulement avec toi que je pourrais être heureux. Pourquoi ne veux-tu pas nous donner une chance ?

— Parce que ça ne marcherait pas, entre nous.

— Comment peux-tu en être sûre ?

« Parce qu'un homme que je croyais haïr et que je hais peut-être encore m'a révélée à moi-même. »

Dans certaines circonstances, hélas, il était impossible de dire la vérité.

— Il faut que je te laisse, Dave. Je dois aller voir ma tante Marthe pour lui apprendre que je vais m'occuper de sa petite-fille. Il ne faut pas que j'arrive trop tard, sinon je serai mal reçue.

Vingt minutes plus tard, le bus la déposait à Outremont. Marthe Charbonneau l'accueillit fraîchement.

— C'est à cette heure-ci que tu viens me rendre visite ? Je te préviens, j'ai déjà dîné et je ne vais pas demander à la cuisinière qu'on remette tout en train pour toi.

— J'ai dîné, moi aussi. Je suis venue te dire que j'ai pris la décision d'abandonner mon métier.

— Pas trop tôt ! Comme si la place d'une jeune fille était dans une caserne de pompiers ! Que vas-tu faire ?

— J'ai l'intention de suivre une formation pour devenir assistante vétérinaire. Et entre-temps, je m'occuperai de ta petite-fille.

— Pardon ?

— Pendant quelques mois, je vais m'occuper d'Emmy, répéta-t-elle.

— Tu ne vas tout de même pas travailler pour cet individu ?

— Si.

— Tu es folle ! Tu n'as pas encore compris qu'il faut se méfier de lui ? Il va te gâcher la vie, comme ç'a été le cas pour Angeline.

— Mais je n'ai aucune intention de me marier avec lui, ma tante.

— De toute façon, il n'épouse pas. Il s'amuse un temps avec l'une ou l'autre, puis il passe à autre chose.

— Je vais seulement m'occuper d'Emmy, répéta Lise, excédée.

— Attends, je vais te montrer quelque chose.

Marthe alla chercher un classeur en plastique parmi les magazines qui s'empilaient sur une table en merisier.

— Jette un coup d'œil à tout ceci. Ça devrait te faire réfléchir.

Lise feuilleta le classeur. Sa tante y avait collé des photos découpées dans les journaux. Des photos de Judd, chaque fois avec une femme, et rarement la même. Mais qu'elles soient brunes, blondes ou rousses, elles étaient toutes jeunes, belles et follement élégantes.

— Il change de femme comme de chemise, lança Marthe avec dégoût.

Le regard de Lise s'attarda sur le dernier cliché. Il représentait Judd en compagnie d'une superbe brune en robe rouge, à une première de l'Opéra de Milan.

— Un modèle de Valentino, dit Marthe. Je parie que c'est lui qui le lui a offert.

Vêtu d'un smoking qui le rendait plus séduisant que jamais, Judd se penchait vers sa compagne en souriant.

La jalousie — une jalousie intense, presque primitive — submergea Lise.

— Tu es amoureuse de lui, constata sa tante qui l'observait, les yeux plissés.

— Sûrement pas.

— Il ne s'intéressera jamais à toi. Tu es très ordinaire et tu n'as pas d'argent.

Lise, qui avait entendu ce refrain des milliers de fois, ne s'en formalisa pas. D'autant plus que sa tante se trompait : Judd s'était intéressé à elle une fois, sur une île tropicale ; il lui avait fait l'amour comme si elle était la seule femme au monde. Et, toute sa vie, elle garderait un souvenir ébloui de ce séjour.

Malheureusement, ainsi que l'attestaient ces photos, elle était loin d'être *vraiment* la seule femme au monde pour Judd ! Et cette constatation lui faisait mal.

Elle réussit néanmoins à se dominer. Après avoir remis le classeur en place, elle déclara d'un ton léger :

— Je n'ai rien à craindre. Pas de danger pour qu'il s'intéresse à quelqu'un comme moi quand il peut avoir des filles pareilles.

D'un ton moqueur, elle ajouta :

— Tu n'es pas contente de me voir abandonner ma tenue de pompier ?

— Pour toi, tout est sujet à plaisanterie.

Marthe haussa les épaules avant d'ajouter :

— Quand j'arriverai à joindre Angeline au téléphone, je lui dirai que tu te conduis comme une idiote.

— Comment va-t-elle, à propos ?

— Elle est malheureuse. Elle croit que son mari a une maîtresse. Je lui ai proposé de revenir ici, mais elle ne veut pas. « Ma place est auprès de lui », me répète-t-elle. C'est une femme très méritante.

— Je t'amènerai peut-être Emmy un de ces jours.

— Si tu crois que Judd le permettra ! Il me déteste parce que je suis la mère d'Angeline. Quel triste personnage ! Il ne sait faire que le mal autour de lui.

Judd ? L'homme qui l'avait tenue dans ses bras ? Celui qui veillait avec une telle tendresse sur sa fille unique ? Lise avait peine à croire sa tante quand elle le chargeait de tous les péchés du monde.

Après avoir pris congé de cette dernière, Lise décida de rentrer à pied. Mais les images de Judd et de ses belles compagnes ne cessaient de danser devant ses yeux.

On ne pouvait pas dire que sa tante soit la bonté même. Pour tenir un album pareil, il fallait vraiment avoir une dent contre Judd !

Deux semaines plus tard, la veille du jour où Judd devait venir la chercher, Lise fit ses bagages.

Tous les membres de son équipe lui avaient offert un chaleureux dîner d'adieu. Elle avait traversé des moments difficiles au cours des années, mais elle pouvait se vanter d'avoir réussi à se faire une place dans ce monde d'homme. Même les plus durs à cuire avaient paru émus en lui faisant leurs adieux.

96

Judd ne lui avait pas donné signe de vie depuis leur dernière rencontre. Après avoir soigneusement plié ses vêtements, elle se mit en devoir de mettre dans sa trousse de toilette les quelques produits qu'elle utilisait régulièrement. Machinalement, elle leva le bras pour s'emparer d'une boîte de protections périodiques quand son geste resta en suspens.

Depuis combien de temps n'avait-elle pas touché à cette boîte ? Frénétiquement, elle se mit à faire des calculs. Et elle fut bien forcée de se rendre à l'évidence : elle avait un retard de seize jours très exactement. Bizarre. Très bizarre pour quelqu'un dont le cycle était étonnamment régulier.

Soudain, elle se sentit glacée. Ce n'était pas possible ! Elle n'était tout de même pas enceinte de Judd Harwood ? Ce serait dramatique.

Lise se prit la tête entre les mains. Si elle attendait vraiment un bébé, cela n'allait pas tarder à se voir. Par conséquent, elle ne pourrait pas rester chez Judd aussi longtemps que prévu.

Si seulement elle pouvait descendre acheter un test de grossesse ! Mais le drugstore était fermé à cette heure-ci, et le lendemain, il n'ouvrait qu'à 8 heures. Juste au moment où Judd viendrait la chercher.

Impossible de savoir maintenant. Une nuit d'angoisse l'attendait.

Si elle était enceinte, quelle serait la réaction de Judd ? Il avait voulu garder Emmy, il était probable qu'il voudrait aussi prendre son enfant.

Elle crispa les poings. Pas question de le laisser faire ! Ah, non, certainement pas !

Avec un haussement d'épaules, elle esquissa un sourire sardonique. Pourquoi pensait-elle à tout cela, alors qu'elle n'était même pas sûre d'attendre un bébé ? Pourquoi s'affolait-elle sans en avoir le cœur net ? Elle tenta de se rassurer. Ces dernières semaines avaient été tellement éprouvantes que son cycle en avait été perturbé. Oui, oui, c'était sûrement cela.

Judd arriva le lendemain à 8 heures précises.

Lise, qui avait à peine dormi, avait une mine épouvantable. Pour donner le change, elle s'était maquillée un peu plus que d'habitude.

Mais Judd ne fut pas dupe.

— Ça ne va pas, toi. Que se passe-t-il ?

Il la prit par les épaules.

— Tu es malade ? Tu as des ennuis ?

Si elle s'était écoutée, elle se serait jetée dans ses bras et lui aurait confié tous ses soucis. Au lieu de cela, elle se dégagea avec brusquerie.

— Ecoute, tu as gagné, tu devrais être content. J'ai accepté de passer quatre mois à m'occuper de ta fille. Que veux-tu de plus ?

Sans insister, il s'empara de l'unique valise que Lise avait préparée.

— C'est tout ce que tu emportes ?

— Si j'ai besoin d'autre chose, je pourrai toujours venir le chercher, répondit-elle en se chargeant de son sac de voyage.

Lorsqu'elle ferma sa porte à clé, elle eut l'impression de clore un chapitre de sa vie.

Ce n'était pas la limousine qui les attendait en bas, mais une Jeep Cherokee que Judd conduisait lui-même.

Avisant les lumières du drugstore, au bout de la rue, Lise déclara :

— Je voulais aller au drugstore hier, mais il était fermé. J'ai le temps d'y faire un saut ? Ça ne prendra qu'un instant.

— Je t'accompagne. Emmy a besoin d'une brosse à dents.

— Je m'en charge.

Il lui adressa un coup d'œil méfiant.

— Tu ne vas pas te sauver ?

— Si ç'avait été le cas, je l'aurais fait avant !

Mais à peine Lise était-elle entrée dans le drugstore que Judd l'y rejoignit. Elle ne put donc pas acheter ce qu'elle voulait et se contenta de prendre trois ou quatre choses dont elle n'avait nul besoin.

Décidément, tout allait mal.

« Le problème, c'est qu'on est samedi ! Je vais devoir m'occuper d'Emmy pendant tout le week-end. Si bien que je ne pourrai pas aller à la pharmacie avant lundi, quand elle sera à l'école. »

Elle jura intérieurement. Encore deux jours et deux nuits d'attente.

Ils ne tardèrent pas à arriver devant la grande maison qu'elle connaissait déjà. Les échafaudages étaient toujours là.

— Les travaux seront terminés dans une quinzaine de jours. Tu pourras alors t'installer dans ton appartement. En attendant, tu vas loger juste à côté de la chambre qu'Emmy occupe en ce moment.

Lise dut admettre qu'elle n'aurait pas pu être installée plus luxueusement.

— Les domestiques savent que tu vas travailler ici. Si tu as besoin de quoi que ce soit, tu n'as qu'à le leur demander.

« J'ai besoin d'urgence d'un test de grossesse », songea-t-elle aussitôt.

— Je serai absent toute la journée et comme j'ai un dîner d'affaires, il est probable que je rentrerai très tard.

Un dîner d'affaires ? C'était du moins ce qu'il prétendait. De toute façon, Lise s'en moquait. Elle ne le verrait pas de la journée, cela seul importait.

Il ne s'y trompa pas.

— On peut savoir pourquoi tu as l'air si soulagé ? s'écria-t-il, furieux.

— Je ne comprends pas pourquoi tu te mets en colère. Tu as réussi à me persuader de venir ici. Je vais m'occuper d'Emmy, comme ça, tu pourras passer tes nuits avec toutes les femmes que tu veux.

— C'est toi que je veux.

Là-dessus, il effleura ses lèvres d'un baiser aussi léger que le battement d'ailes d'un papillon. Il n'en fallut pas davantage pour que le cœur de Lise se mette à battre la chamade, tandis que le désir l'envahissait comme une flamme vive.

— Tu me veux, toi aussi, constata Judd avec une évidente satisfaction.

— Mais toi, tu ne veux plus de moi, s'entendit-elle déclarer d'une voix blanche. Tu as dit une fois que ce qui était trop facile à prendre ne t'intéressait pas.

— Je t'ai aussi assuré que je ne t'engageais pas en tant que maîtresse attitrée.

Avec désespoir, elle s'écria :

— Mon Dieu, pourquoi ai-je accepté de venir ?

— Pour l'argent, tu l'as admis toi-même.

Il avait raison, hélas !

— Lise, je…

Il marqua une pause avant de reprendre :

— Je suis sûr que tout se passera bien. Petit à petit, tu réussiras à apprivoiser Emmy. Installe-toi tranquillement. Et ne te pose pas trop de questions.

Sur ces mots, il disparut.

Lise se laissa littéralement tomber dans un fauteuil. Elle ne comprenait pas. Elle ne comprenait plus. Si Judd ne s'intéressait plus à elle, pourquoi l'avait-il embrassée ? Soit, il s'agissait d'un petit baiser de rien du tout… mais c'était quand même un baiser.

D'ailleurs, si elle lui plaisait encore, pourquoi avait-il tellement insisté sur le fait qu'elle ne deviendrait pas sa maîtresse ?

En soupirant, elle se mit en devoir de défaire ses bagages. Ses pieds s'enfonçaient dans le superbe tapis chinois qui était jeté sur une épaisse moquette pâle. Quant à la salle de bains, elle représentait le summum du luxe : marbre, glaces allant du sol au plafond, et Jacuzzi.

Quand elle alla saluer Maryann, la femme de charge, cette dernière lui présenta les autres domestiques et le jardinier.

Puis Emmy descendit à son tour.

— Papa m'a dit que tu allais passer quatre mois ici.

— C'est cela. Après je prendrai des cours pour aider un vétérinaire à soigner les chiens et les chats malades.

— Je voudrais avoir un chien. Mais papa dit que je ne suis pas assez grande.

— Quel genre de chien aimerais-tu ?

Après cette entrée en matière, la conversation fut assez facile. Cependant, Emmy restait toujours sur ses gardes, ce qui intrigua Lise.

Elles passèrent la plus grande partie de la journée dans le parc voisin où se trouvaient de nombreux jeux pour les enfants. Pas une seule fois au cours de la journée, Emmy ne mentionna son père. Ce fut seulement lorsque Lise la mit au lit qu'elle demanda :

— A quelle heure doit rentrer papa ?

— Assez tard, je crois.

Emmy laissa échapper un profond soupir avant de fermer les yeux, tout en étreignant son ours Plush qui ne la quittait jamais.

En soupirant, elle aussi, Lise regagna sa chambre. Elle n'avait pas trouvé l'occasion d'aller dans un drugstore. Et les jours passaient. Déjà dix-sept jours de retard.

9.

Lorsque Lise descendit prendre le petit déjeuner, le lendemain matin, elle trouva Judd devant une tasse de café et Emmy devant un bol de céréales.

Impeccable dans son costume gris foncé, Judd lui adressa un bref signe de tête.

— Bonjour. Comme j'étais en train de l'expliquer à Emmy, l'une de mes compagnies a rencontré quelques problèmes à Singapour. Il faut que j'aille régler tout cela. Je serai de retour mercredi ou jeudi.

— J'espère que ce n'est pas trop grave.

— Les choses s'arrangent toujours quand on s'en donne les moyens. A propos, un nouveau Walt Disney vient de sortir. J'ai vu qu'on le jouait à côté. Tu pourrais emmener Emmy le voir ?

Il sortit deux liasses de billets de son portefeuille.

— Voici une avance sur ton salaire. Et voici pour les dépenses que tu pourrais être amenée à faire pour Emmy. Inutile d'en tenir le compte.

Le message était clair : elle n'était que son employée. Une parmi beaucoup d'autres. Lise mit l'argent dans la poche de son jean.

— Merci.

— Lorsque je suis à l'étranger, je téléphone toujours à Emmy le soir, avant l'heure où elle se met au lit. Quand j'appellerai, arrange-toi pour qu'elle puisse prendre immédiatement la communication.

— Très bien.

Lise trouvait très désagréable d'entendre Judd lui donner des ordres. Mais n'avait-elle pas accepté de travailler pour lui ?

Elle prit un croissant et le tartina généreusement de confiture d'abricot. Ce petit déjeuner était nettement meilleur que ceux qu'elle avalait d'ordinaire en hâte. Au lieu de tout voir en noir, autant profiter de la vie. Pourquoi s'inquiéter à propos de tout et de rien ? Jusqu'à présent, elle n'avait pas eu de malaises matinaux. Ce qui était plutôt bon signe.

Lundi, elle saurait…

Le lundi matin, après avoir conduit Emmy à l'école, Lise put enfin acheter un test.

Un peu plus tard, tête basse, complètement sonnée, elle contemplait le bout de ses chaussures.

Le test était positif.

Qu'allait-elle faire ? Qu'allait-elle devenir ?

L'avenir lui paraissait soudain bien incertain. En tout cas, elle était sûre d'une chose : elle ne dirait rien à Judd. Pas maintenant. Et peut-être jamais.

Judd avait annoncé son retour pour le mercredi, tard dans la soirée. Ce jour-là, Lise jugea plus sage de se mettre au lit de bonne heure. Depuis qu'elle avait eu le résultat du test, elle avait l'impression que le ciel lui était tombé sur la tête. Son angoisse se lisait-elle dans ses yeux ? Sur son visage ? Elle l'ignorait mais, sachant combien Judd était perspicace, elle préférait l'éviter au maximum.

Elle ne pouvait plus nier la réalité. Son corps allait bien vite se transformer. Elle calculait qu'elle pourrait rester deux mois avec Emmy avant que l'on remarque quoi que ce soit. Deux mois, oui. Sûrement pas quatre comme prévu initialement.

Lise venait à peine de s'endormir quand elle fut réveillée par un cri plein de détresse. Sans prendre la peine d'enfiler un peignoir, elle courut dans la chambre voisine et prit Emmy dans ses bras.

— Tu as fait un mauvais rêve. Ce n'est rien.

Emmy éclata en sanglots. Tout en la berçant comme un bébé, Lise demanda :

— Pourquoi pleures-tu ? Veux-tu me le dire ?

Emmy se mit à lui décrire des danseurs masqués qui voulaient la pousser dans une maison en flammes. Sans cesser de la serrer contre elle avec tendresse, Lise s'efforça de la rassurer. Soudain, l'enfant déclara avec élan :

— Je suis contente que tu sois là.

— Moi aussi, je suis contente d'être avec toi.

— Quelquefois, ça me manque de ne pas avoir de maman.

Lise se sentit envahie d'un terrible sentiment de culpabilité. Elle avait promis à Emmy de rester quatre mois auprès d'elle. Et voilà qu'elle projetait de la quitter beaucoup plus tôt que prévu !

Les pleurs de la petite fille s'étaient calmés. Elle ne tarda pas à se rendormir et Lise la remit au lit.

Sur la pointe des pieds, elle quitta la pièce et faillit heurter Judd qui se tenait derrière la porte.

— Tu m'as fait peur ! s'écria-t-elle.

— Chut !

Il la prit par la taille pour l'entraîner au bout du couloir.

— Un autre cauchemar ? demanda-t-il en l'attirant contre lui.

Sa chemise était déboutonnée et elle sentit, à travers le T-shirt qui lui servait de chemise de nuit, la chaleur de son torse musclé.

104

Luttant contre le désir qui l'envahissait, elle déclara d'un ton plein de reproche :

— Sa mère lui manque.

— Je viens d'entendre ça.

— Comment as-tu pu refuser à Angeline la garde de sa fille ?

Il la lâcha brusquement.

— Je commence à en avoir assez ! Que ce soit clair une fois pour toutes. Si tu veux savoir, un aristocrate dont les ancêtres remontent au XIVe siècle ne voulait pas de l'enfant d'un autre dans son château. Si encore Emmy portait un nom prestigieux, cela aurait pu s'arranger. Mais la fille d'un roturier de mon genre n'avait pas sa place là-bas ! Angeline a donc décidé qu'Emmy resterait avec moi.

— Ce n'est pas ce qu'elle...

Il l'interrompit.

— Tu crois que ta cousine était parfaite ? s'écria-t-il, visiblement à bout. Qu'elle n'avait rien à se reprocher ? Si tu veux savoir, elle avait déjà eu une aventure deux ans avant de rencontrer son Henri. Ça s'était passé à New York.

— Ce... ce n'est pas possible !

— Tu n'as pas l'air de très bien connaître Angeline. Tu ne sais pas encore qu'elle est incapable de résister à la tentation ? Comme une enfant, en quelque sorte. Elle n'est pas méchante, mais elle a été tellement gâtée qu'elle ne peut pas comprendre qu'on lui refuse quoi que ce soit. Elle est d'une part complètement irresponsable, et d'autre part incapable de mesurer les conséquences de ses actes.

— Mais...

— Après cette aventure, nous avons continué cahin-caha. Et puis il y a eu le richissime Henri, le grand aristocrate. Comment Angeline aurait-elle pu dire non à une existence pareille ? Elle allait porter un titre, vivre dans un château de carte postale...

Il haussa les épaules.

— Nous avons donc divorcé. Ce n'est que beaucoup plus tard, en amenant Emmy chez sa grand-mère, que j'ai compris qu'Angeline avait raconté sa propre version de l'histoire.

— Tu n'as pas protesté ?

— A quoi bon ? Je ne veux pas qu'Emmy sache que ses parents, même après leur séparation, continuent à se disputer.

Il semblait sincère. Cependant, quand Angeline parlait de l'échec de son premier mariage, elle aussi avait l'air sincère. Qui croire ?

— La dernière fois que j'ai vu Marthe, elle m'a montré un album où elle a réuni des dizaines de photos de toi en compagnie de filles magnifiques. Elle a découpé ça dans des magazines.

Judd eut un geste agacé.

— Je te l'ai déjà expliqué, non ? Je ne peux pas faire un pas sans me trouver entouré d'admiratrices.

Avec amertume, il poursuivit :

— Je ne me fais pas d'illusions. Ce n'est pas moi qui les intéresse. Elles n'en veulent qu'à mon argent. Dès qu'un homme est riche, important et puissant, il a du succès — même s'il est vieux, laid, chauve et ventripotent.

Il plongea son regard dans le sien.

— Je te jure que je n'ai jamais trompé Angeline. Tu me crois ?

La voyant hésiter, il poursuivit d'un ton dur :

— Ou tu crois Angeline, ou tu me crois, moi.

Quelle était la bonne version ? Celle de Judd ou celle de sa cousine ?

— Et en attendant que tu fasses ton choix, je respecterai la promesse que je t'ai faite avant de partir pour la Dominique. Tu peux mettre ta robe verte, tu peux te faire attaquer par une armée de lézards, je ne te toucherai pas.

106

Et elle était enceinte de cet homme arrogant ? Elle lui adressa un coup d'œil plein de mépris.

— J'ai appris beaucoup de gros mots au contact des pompiers de mon équipe. Mais je n'en trouve aucun assez fort pour exprimer ce que je ressens maintenant.

— Alors va dormir. La nuit porte conseil.

Il la détailla des pieds à la tête. Elle s'attendait à ce qu'il lui dise quelque chose de désagréable ; au lieu de cela, il éclata de rire.

— Avec un salaire comme celui que tu touches ici, tu ne peux pas t'offrir une chemise de nuit convenable ?

— J'ai ce T-shirt depuis au moins dix ans. Je l'aime bien.

— Super sexy !

L'atmosphère s'était brusquement détendue.

— Tu as l'air d'avoir quinze ans là-dedans.

— S'il me rajeunit tant, je vais le garder précieusement.

— Malgré ce vieux T-shirt informe, j'ai envie de te faire l'amour.

Elle se raidit.

— Tu as promis…

— Va vite te coucher avant que je change d'avis.

Lise courut se réfugier dans sa chambre. Si elle s'était montrée moins cassante, elle serait en ce moment dans les bras de Judd. Il saurait multiplier baisers et caresses pour la faire fondre de plaisir. Ensemble, ils revivraient les sensations merveilleuses qu'ils avaient vécues à la Dominique, et ce serait le bonheur.

Le corps enfiévré, elle alla prendre une douche froide.

Le dimanche suivant, Judd, Emmy et Lise allèrent faire du toboggan sur les pentes du Mont-Royal.

De là-haut, la vue sur la ville était superbe. Lise ne se lassait pas d'admirer les gratte-ciel se détachant sur un ciel clair, le Saint-Laurent et ses ponts…

Le froid lui avait rosi les joues.

— Tu es très jolie, dit soudain Emmy. Je suis contente que tu vives avec nous. Je t'aime beaucoup.

Au prix d'un effort surhumain, Lise réussit à sourire.

— C'est gentil de dire ça. Merci.

Judd hocha la tête.

— Je suis de ton avis, Emmy. Lise est très jolie.

Mal à l'aise, cette dernière marmonna :

— C'est le froid qui me donne des couleurs.

— Nous n'allons pas tarder à rentrer pour nous réchauffer, promit Judd.

— J'aurai droit à une tasse de chocolat chaud ? demanda Emmy avec gourmandise.

Oui, il faisait un froid glacial dehors. Et dès que Judd ouvrit la porte de la maison, la chaleur frappa Lise avec une telle force qu'elle eut l'impression de recevoir un coup.

Elle vacilla et serait tombée si Judd ne l'avait pas saisie à bras-le-corps pour l'aider à retrouver son équilibre.

Tout tournait autour d'elle et elle avait l'impression qu'un épais brouillard assourdissait tous les sons. De très loin, elle entendit Emmy demander avec anxiété :

— Papa… elle est malade ?

— C'est la chaleur. Maryann a tendance à trop chauffer. Par moments, on se croirait à la Dominique, ici.

Lise réussit à lever la tête.

— Par… pardon, balbutia-t-elle. Je ne sais pas ce qui m'a pris.

— Tu es aussi blanche que la neige ! s'écria Emmy.

— Je… j'ignore ce qui m'arrive.

Lise se sentait épuisée. C'était la première fois de sa vie qu'elle avait un malaise.

108

Mais au moins, elle savait ce qui l'avait provoqué. Risquait-elle d'en avoir d'autres ? Cette pensée la remplit d'appréhension. Comment pourrait-elle s'occuper d'Emmy si elle s'évanouissait à tout bout de champ ?

Judd l'avait fait asseoir dans un fauteuil. Quand elle voulut se lever, il l'en empêcha.

— Attends au moins d'avoir repris des couleurs.

— Ce n'est rien, assura-t-elle. Juste la chaleur.

— Quand il y avait des incendies, tu étais malade aussi ? demanda Emmy avec curiosité. Il fait encore plus chaud quand il y a un feu.

Lise retint sa respiration. La réflexion d'Emmy était fort juste. Comment une femme qui avait fait partie d'une équipe de pompiers pendant des années pouvait-elle craindre la chaleur ?

— En fait, je portais toujours l'équipement que je t'ai montré, expliqua-t-elle. Il protège.

— Peux-tu aller demander à Maryann de nous préparer du chocolat, Emmy, s'il te plaît ? demanda Judd. Qu'elle l'apporte au salon.

Pendant que l'enfant courait à la cuisine, il aida à Lise à se lever.

— Je vais te porter.

— Ce n'est pas la peine.

En guise de réponse, il se pencha et lui prit les lèvres. Juste à ce moment-là, la voix claire d'Emmy s'éleva.

— C'est ce que font les gens qui vont se marier. Mon amie Charlene me l'a dit.

Judd se redressa et se mit à toussoter. Jamais Lise ne l'avait vu aussi gêné.

— C'est parce que vous allez vous marier que Lise est venue vivre ici ? reprit la petite fille.

Judd rejeta ses cheveux en arrière.

— Tu sais bien qu'elle est ici pour s'occuper de toi.

— Mais alors, pourquoi étiez-vous…

— Tu comprendras plus tard, coupa Judd. As-tu demandé à Maryann de préparer du chocolat ?

— Oui. Elle demande si vous en prendrez aussi ou bien si vous voulez du café à la place.

— Dis-lui qu'on prendra tous du chocolat.

Froissée d'avoir été rabrouée, Emmy repartit vers la cuisine.

— J'ai été stupide de t'embrasser, grommela Judd.

Lise avait déjà repris quelques couleurs.

— Ne t'inquiète pas. Je rappellerai à Emmy que j'habite ici seulement provisoirement.

Il paraissait furieux.

— Bonne idée.

— Je ne comprends pas pourquoi tu es tellement en colère. C'est toi qui m'as embrassée.

Il explosa.

— Je le sais ! Mais il suffit que tu me regardes pour que je perde la tête.

— Ce qui ne te plaît pas.

— Pas le moins du monde.

— Ecoute, tu peux me renvoyer avant que je ne cause davantage de dommages. Sinon Emmy va avoir de plus en plus besoin de moi et… et ce n'est pas ce que nous voulons.

Elle secoua la tête.

— J'ai été stupide de venir ici ! J'aurais dû me douter que les choses allaient mal tourner.

— Si je connaissais le moyen d'arranger les choses ! lâcha-t-il en soupirant. D'ordinaire, les solutions m'apparaissent immédiatement. Mais dès que tu es concernée, je suis perdu.

Il croisa les bras.

— Je te promets que ce qui vient de se produire ne se répétera pas.

— Tu l'as déjà dit. Ton problème, c'est que tu veux tout commander. Quand tu n'es pas maître d'une situation, ça te rend fou.

— Pas de psychanalyse à trois sous, s'il te plaît. Si tu me connaissais bien, tu saurais que je relève des défis là où d'autres s'enfuiraient à toutes jambes. Alors, méfie-toi. Ne me provoque pas.

Deux jours plus tard, Lise, Emmy et Judd déjeunaient dans le jardin d'hiver.

Lise avait pris rendez-vous chez son médecin habituel. En attendant de le voir, elle notait tous ses symptômes. L'un d'eux était une perpétuelle envie de dormir. Bizarre pour quelqu'un qui, d'ordinaire, ne tenait pas en place !

A la fin du repas, Judd demanda :

— Peux-tu venir dans mon bureau après avoir conduit Emmy à l'école, s'il te plaît, Lise ?

— Bien sûr.

Lorsqu'elle le rejoignit, un peu plus tard, il se leva.

— Tu n'as pas l'air en forme. Ce ne serait pas la grippe, par hasard ? Il y a un début d'épidémie en ville.

— Je vais très bien.

D'un ton acerbe, elle enchaîna :

— C'était juste pour me demander des nouvelles de ma santé que tu voulais me voir ?

— Je dois m'absenter jeudi. Je reviendrai mardi. S'il y avait une urgence et que tu sois obligée de me contacter, tu trouveras dans cette enveloppe les détails de mon voyage et les numéros où me joindre.

Pourquoi l'enveloppe était-elle scellée ? Peut-être parce qu'il ne partait pas seul. Il suffit à Lise de l'imaginer avec une femme dans les bras pour avoir des envies de meurtre.

— Tu voyages beaucoup.

— Bien obligé.

— Tes affaires avant tout, n'est-ce pas ? Pour toi, les dollars passent avant les gens. Angeline s'en plaignait toujours.

— J'aurais pu en dire autant à son sujet. Une fois que sa carrière a pris l'essor que nous savons, Angeline était tout le temps partie.

— Je comprends pourquoi Emmy se sent si seule.

— Tu es là pour lui tenir compagnie.

— Elle préférerait être avec son père.

— Tu es d'humeur batailleuse, aujourd'hui. Désolé, ma chère, mais je n'ai pas de comptes à te rendre. Je t'ai dit de choisir entre la version d'Angeline ou la mienne. Apparemment, tu as pris le parti d'Angeline. Très bien, c'est ton affaire ! Je te demanderais juste de ne pas monter Emmy contre moi.

— Tu me crois capable d'une chose pareille ? s'écria-t-elle avec indignation.

Il parut soudain très las.

— Comment le savoir ?

112

10.

Pendant l'absence de Judd, Lise alla voir son médecin. Mais ce dernier ne put que confirmer ses soupçons : elle attendait bel et bien un enfant.

Lorsqu'elle avait obtenu le résultat du test, elle avait eu l'impression que le ciel lui était tombé sur la tête. Cette impression persistait. Elle restait assommée, sans réaction.

Ce soir-là, après avoir mis Emmy au lit, elle s'assit devant la télévision et suivit les nouvelles d'un œil distrait. L'un des deux avions affrétés par la Croix-Rouge pour apporter des secours humanitaires au Soudan venait de s'écraser dans le désert. Le second arrivait dans un paysage désolé où des réfugiés s'entassaient sous des tentes de fortune.

Soudain, le regard de Lise s'arrêta sur un groupe de volontaires qui apportaient vivres et médicaments. Une exclamation étranglée lui vint aux lèvres. Avait-elle des visions ? Non ! C'était bien Judd, en chemise kaki et en treillis, qui livrait des cartons.

Déjà, on passait à autre chose. Lise courut ouvrir l'enveloppe que lui avait remise Judd avant son départ. Elle y trouva son itinéraire de Montréal jusqu'au Soudan, avec toute une liste de numéros de téléphone.

Il n'était donc pas en voyage d'affaires ? Et encore moins avec une femme comme elle le pensait ! Au lieu de cela, il prenait des risques terribles. Se souvenant qu'elle l'avait accusé de ne penser qu'à s'enrichir, Lise se sentit envahie d'une terrible culpabilité.

Si quelque chose arrivait à Judd, elle en mourrait. Parce qu'elle l'aimait, elle ne se le cachait plus. Elle l'aimait de tout son cœur, de toute son âme. De tout son corps.

Comment avait-elle pu hésiter quand il lui avait demandé de faire un choix entre la version d'Angeline et la sienne ? Judd était un homme extraordinaire ! Il adorait sa fille, s'en occupait de son mieux et était prêt à courir de grands dangers pour secourir ceux qui avaient moins de chance que lui dans la vie.

Elle ne blâmait pas sa cousine pour autant. Comme l'avait dit Judd, Angeline n'était pas méchante. Seulement égoïste. Et beaucoup trop gâtée par une mère en adoration devant elle.

Oui, elle aimait Judd Harwood. Quant à lui…

Lise ne se faisait pas d'illusions. Jamais Judd ne s'intéresserait un jour sérieusement à elle. Elle comprenait maintenant son raisonnement. Traumatisé par les infidélités d'Angeline, traumatisé par son divorce, il avait juré de ne plus jamais s'engager. En se contentant de brèves aventures, il était au moins assuré de ne pas souffrir.

Les larmes lui vinrent aux yeux. Rien n'était possible entre eux, il fallait bien qu'elle l'admette. Mais si elle ne pouvait pas avoir Judd, elle aurait son enfant. Et elle était prête à tous les sacrifices pour ce bébé qu'il lui faudrait bien élever seule — et chérir pour deux.

Le lundi soir, Lise se mit au lit de bonne heure. Judd devait revenir le lendemain. A cette pensée, elle se sentait envahie de sentiments contradictoires où la joie se mêlait à l'angoisse et à la peur. Une peur panique.

Elle dormait profondément quand, vers 3 heures du matin, un bruit la réveilla en sursaut.

Elle tendit l'oreille. Non, elle ne s'était pas trompée. Quelqu'un marchait dans le hall. Un voleur avait-il réussi à neutraliser le système de sécurité ?

Quelle malchance ! Cette nuit-là, elle se trouvait justement seule avec Emmy !

Sur la pointe des pieds, Lise se leva et entrouvrit sa porte. De nouveau, la maison était silencieuse. Mais elle était sûre d'avoir entendu quelqu'un marcher en bas.

Il n'y avait pas de téléphone dans sa chambre. En revanche, si elle allait dans celle de Judd, elle pourrait appeler la police. Arrivée sur le palier, elle jeta un coup d'œil en contrebas. Malheureusement, elle ne put rien apercevoir dans l'obscurité. Au passage, elle s'empara d'un dauphin de marbre blanc. Cette sculpture, très lourde, pouvait constituer une arme mortelle.

Le cœur battant, le souffle court, elle se dirigea vers le fond du couloir.

La chambre de Judd donnait sur une terrasse. Un réverbère l'éclairait suffisamment pour que Lise n'ait pas besoin d'allumer. De cette manière, elle ne risquait pas d'attirer l'attention du ou des voleurs.

Elle localisa le téléphone et, juste au moment où elle s'apprêtait à composer le numéro d'urgence, la porte s'ouvrit en grand.

Terrifiée, elle leva le dauphin, s'apprêtant à vendre chèrement sa vie. Puis son bras retomba et elle laissa échapper le marbre qui roula sur la moquette.

— Judd !

Ses jambes ne la portaient plus ; elle s'effondra sur le lit.

— Que fais-tu dans ma chambre ? s'enquit-il.

— J'ai entendu du bruit. J'allais appeler la police.

Il s'assit près d'elle et lui prit les mains.

— Tu es glacée. Pourquoi te baladais-tu avec le dauphin ?

— Pour assommer le voleur.

— Tu es courageuse.

— En réalité, je mourais de peur.

Elle leva les yeux vers lui. Au lieu de se calmer, les battements de son cœur s'accentuèrent alors.

Judd portait un ensemble de brousse en toile beige. Ses yeux étaient profondément cernés, sa joue écorchée et une barbe naissante ombrait sa mâchoire.

— Tu as l'air d'un pirate.

— Pas d'un voleur ? suggéra-t-il en riant.

— Judd, je t'ai vu à la télévision. Pourquoi ne m'as-tu pas dit où tu allais ?

— Je ne parle de ça à personne.

— C'est dangereux. Très dangereux !

— Je le sais. Quand il y a eu l'incendie, je me trouvais au Venezuela où un tremblement de terre venait de détruire tout un bidonville. Maintenant qu'Emmy est avec toi, je me sens un peu plus rassuré. Je te fais entièrement confiance, Lise.

Emue aux larmes, elle balbutia :

— Le… le jour où tu m'as annoncé ton départ, je t'ai accusé de… d'être seulement intéressé par l'argent. Je m'en veux tellement!

— Tu ne pouvais pas savoir.

Avec élan, elle assura :

— Tu es un homme bien.

— Je ne suis pas un ange. J'ai mes défauts comme tout un chacun.

Il la lâcha brusquement.

— Je suis dans un état ! Il faisait une chaleur terrible, là-bas, et je n'ai pas pris de douche depuis deux jours.

— On peut prendre une douche ensemble, s'entendit-elle proposer.

Il haussa les sourcils. Puis un sourire ironique lui vint aux lèvres.

— Je vois que tu portes encore l'un de tes T-shirts si sexy. Comment te résister ?

116

— Tu sais, c'est toi que je crois. Pas Angeline.

— Depuis quand ?

— Depuis que je t'ai vu à la télévision. Ça m'a fait comprendre beaucoup de choses.

Elle baissa la tête avant d'avouer :

— Des choses que je regrette de ne pas avoir perçues plus tôt.

Judd la prit dans ses bras pour la transporter dans une vaste salle de bains au centre de laquelle trônait une luxueuse cabine de douche. Il ne leur fallut pas plus de quelques secondes pour se déshabiller et se retrouver sous les puissants jets d'eau.

Tandis qu'elle aidait Judd à se savonner en multipliant baisers et caresses, Lise eut un rire heureux. De quoi le lendemain serait-il fait ? Elle ne voulait pas le savoir. Seul le présent comptait.

— Tu as un corps superbe, déclara-t-elle.

Il l'étreignit.

— Toi aussi. Je te veux.

— Je te veux, fit-elle en écho.

Une fois sortis de la douche, ils s'essuyèrent mutuellement à l'aide d'épaisses serviettes-éponges. En réalité, cette tâche n'était qu'un prétexte pour d'autres caresses. Et bientôt, ils se retrouvèrent dans le grand lit de Judd.

Ce dernier s'appuya sur un coude pour la contempler.

— Tu es si belle… Sais-tu que tu hantes tous mes rêves, de jour comme de nuit ?

Son expression changea.

— La dernière fois, on était tellement pressés que je n'ai pas pensé à te demander si tu étais sous contraceptifs. Faut-il…

Comme elle était enceinte, elle ne craignait plus rien ! Et c'était d'ailleurs le moment idéal pour le lui apprendre. Au lieu de cela, elle se contenta de déclarer :

— Ne t'inquiète pas.

— Après coup, j'ai pensé que tu devais prendre la pilule. Mais à la Dominique, tout s'est passé si vite que j'ai oublié de prendre les précautions élémentaires.

Celles qu'il employait avec les autres. Cette pensée dégrisa brusquement Lise.

— Pourquoi me regardes-tu comme ça ? s'étonna Judd. Je n'ai aucune envie d'être responsable de la venue au monde d'un enfant non désiré.

Elle eut l'impression de recevoir une gifle. La respiration coupée, la situation lui apparut dans toute sa clarté. Dans toute son horreur.

Judd ne voulait pas d'autre enfant. S'il découvrait qu'elle était enceinte, ou bien il la pousserait à avorter, ou bien il insisterait pour l'épouser. Elle l'aurait donc forcé à se marier alors qu'il ne le souhaitait pas. Ce qu'il ne le lui pardonnerait jamais.

Elle se leva avec tant de hâte qu'elle trébucha. Soudain honteuse de sa nudité, elle cacha ses seins de son bras.

— Je… je ne peux pas.

Il se mit debout à son tour.

— Que t'arrive-t-il ?

— Il… il ne faut pas. Je… j'ai eu tort de… d'agir comme je viens de le faire. Pardon.

— Mais tu es folle ! Ecoute, nous sommes tous les deux des adultes libres, majeurs et vaccinés. On a déjà fait l'amour, et c'était une expérience inoubliable. Tu n'as pas envie de recommencer ?

Elle secoua la tête.

— Non. Parce que pour moi, le sexe ne peut pas aller sans amour. Or tu as juré de ne plus jamais tomber amoureux. Il vaut mieux que je parte avant de souffrir.

— Où veux-tu en venir exactement ? Serais-tu amoureuse de moi ?

— Non ! s'écria-t-elle. Mais tout peut arriver et je préfère éviter les problèmes. Je ne ressemble pas aux femmes avec lesquelles tu sors d'habitude. Celles qui peuvent aller d'un amant à l'autre aussi facilement que... que si elles changeaient de coiffeur.

Peu à peu, elle retrouvait son assurance.

— *Primo*, les aventures sans lendemain ne m'intéressent pas. Et *secundo*, je ne veux pas être malheureuse par ta faute.

Jugeant que c'était le moment ou jamais de le mettre au courant de ses intentions, elle ajouta :

— Je ne peux pas rester ici pendant quatre mois. Ce ne serait pas bien vis-à-vis d'Emmy, qui commence à s'attacher à moi.

— Je croyais que tu avais besoin d'argent.

— Je trouverai un autre travail.

Judd la prit par les épaules.

— Reste, je t'en prie. Il faut que nous apprenions à mieux nous connaître. Et, qui sait...

L'espace d'un instant, Lise fut prise d'un grand espoir. Cela ne dura pas. Elle savait bien que jamais Judd ne l'aimerait au point de souhaiter l'épouser.

Il fallait absolument qu'elle parte. Il fallait que Judd continue à ignorer qu'elle portait son enfant. A aucun prix, elle ne voulait qu'il se sente piégé.

— Non, déclara-t-elle avec force. Non, je ne peux pas rester.

Judd la lâcha brusquement.

— Dans ce cas, je te conseille de chercher un autre travail dès demain. On ne peut pas jouer avec les sentiments d'Emmy.

— N'oublie pas, quand même, que c'est toi qui a insisté pour que je vienne.

— L'une des rares erreurs que j'ai commises dans ma vie.

Il la fixait d'un regard glacial, comme s'il la haïssait. Et pourtant, dix minutes auparavant, ses yeux étaient encore pleins de passion.

119

— Je partirai dès que tu auras trouvé quelqu'un d'autre pour s'occuper d'Emmy, murmura-t-elle.

La voix de Judd claqua, sèche comme un coup de fouet.

— Entendu.

120

11.

Le lendemain matin, après avoir conduit Emmy à l'école, Lise resta assise dans sa chambre, incapable de lutter contre l'intense léthargie qui l'avait envahie.

Elle avait pourtant mille choses à faire ! Acheter les journaux afin d'étudier les offres d'emploi, aller à la bibliothèque pour consulter Internet, où l'on pouvait également trouver de nombreuses propositions de travail.

Un peu avant midi, elle enfila sa parka et descendit. Maryann, qui la croisa dans le hall, lui dit :

— Vous n'avez pas besoin de sortir : M. Judd a dit qu'il passerait prendre sa fille en sortant du bureau.

— Ah, bon. Merci.

Maryann était déjà repartie vers la cuisine quand on sonna.

— Ne vous dérangez pas ! cria Lise en ôtant sa parka. J'y vais.

Elle ouvrit et demeura sidérée.

— Angeline !

— Un pull rouge ! s'exclama sa cousine avec dégoût. Tu n'as donc rien retenu de ce que je t'ai appris autrefois ?

Lise redevint le vilain petit canard devant le cygne. Avec son pull, son vieux jean et ses cheveux en désordre, elle devait avoir piètre allure.

En revanche, Angeline était aussi parfaite que d'habitude. Une véritable gravure de mode. Manteau de vison, pantalon et pull en cachemire blanc, bottes en crocodile... Ses cheveux platine tombaient sur ses épaules en vagues soyeuses et brillantes.

Lise s'éclaircit la voix.

— Entre, réussit-elle enfin à dire.

— Où est Judd ? Il n'est pas en voyage, j'espère.

— Non. Il ne devrait pas tarder à rentrer avec Emmy.

— Ma chère petite Emmy ! Comment va-t-elle ?

— Bien.

— Et toi, que fais-tu ici ?

— Je travaille. Judd m'a engagée pour m'occuper d'Emmy.

— Ah bon ?

Lise retourna sa question à sa cousine.

— Et toi, que fais-tu ici, Angeline ?

— Ça ne te regarde pas.

Lise devint écarlate. A son grand soulagement, elle entendit la voiture de Judd s'arrêter devant le perron.

La porte s'ouvrit et Emmy se précipita dans les bras de Lise. Judd contemplait cette scène avec une visible hostilité. Il n'avait pas du tout l'air content de voir sa fille témoigner autant d'affection à la femme qui venait de le rejeter.

Puis son expression changea.

— Par exemple ! Angeline !

Emmy se raidit dans les bras de Lise. Avec réticence, elle se tourna à son tour vers la blonde en manteau de vison qui paraissait aussi à l'aise dans cette luxueuse demeure que si c'était la sienne.

— Eh, oui, c'est moi ! J'ai eu envie de voir ma fille. Comment vas-tu, ma petite chérie ?

Tout en agrippant convulsivement le pull rouge de Lise, Emmy répondit d'une voix neutre :

— Ça va, merci.

— Tu ne viens pas m'embrasser ?

Docile, Emmy s'approcha de sa mère. Cette dernière se pencha et déposa un baiser sur sa joue avant de lui tendre le grand carton enrubanné qu'elle avait sous le bras.

— Tiens, c'est pour toi. Un cadeau de Paris.

— Merci.

— Tu ne l'ouvres pas ?

Emmy défit les rubans, ouvrit la boîte et découvrit un énorme ours brun.

— Merci. Mais j'ai déjà un ours.

— Cette horrible chose que tu traînes depuis au moins quatre ans ? Il est grand temps que tu le mettes à la poubelle. Celui-ci est bien plus beau – et plus propre.

— C'est Plush que j'aime.

— Tu es aussi entêtée que ton père, je vois. L'ours que je t'apporte a coûté très cher. Il vient de la plus belle boutique de jouets de Paris.

— Merci, répéta poliment l'enfant.

— Tu déjeunes avec nous, Angeline ? proposa Judd. Je te préviens, ce sera rapide : Emmy doit être de retour à l'école à 14 heures.

Le déjeuner était servi dans le jardin d'hiver. Angeline regarda autour d'elle, admirant les plantes et les fleurs que le jardinier entretenait avec un soin jaloux.

— Tu as une très jolie maison. Et dans le meilleur quartier de la ville ! On voit que tes affaires marchent bien.

— Quelle est la raison de cette visite inattendue ? interrogea Judd.

C'était exactement la question que se posait Lise.

— Je te parlerai de cela plus tard, chéri.

Sous-entendu : une fois que nous serons seuls.

— Tu as des secrets pour ta cousine et ta fille ?

— Non. Mais…

Angeline haussa les épaules dans un mouvement étudié.

— De vieux amis d'Henri vivent à deux pas d'ici. Paul et Marie Gagnon. Paul est le président d'un consortium bancaire. Ils organisent un concert chez eux demain soir. Un récital avec un pianiste célèbre. Je suis invitée et j'ai réussi à ce que tu figures aussi sur la liste des convives.

Elle sourit.

— Je m'y prends à la dernière minute, mais tu me connais ! Je suis toujours la même : très spontanée.

— Les Gagnon ? Voyons, voyons… N'avaient-ils pas un fils à New York ? Sera-t-il là demain ?

— Comment pourrais-je le savoir ? rétorqua-t-elle avec un rire léger.

— Où est Henri ?

— Il est très pris par ses vignobles. La commercialisation d'un grand vin n'est pas une mince affaire, crois-moi ! Bon, tu viendras chez les Gagnon demain ?

— A condition que tu t'arranges pour que Lise obtienne elle aussi une invitation.

— Lise ? Pourquoi ?

— Elle a sauvé la vie de notre fille.

Lise, qui n'avait rien dit jusqu'à présent, jugea le moment venu de prendre la parole.

— Je ne tiens pas aller à ce concert.

— Tu iras, décréta Judd. C'est un ordre.

— Un ordre ? répéta-t-elle, sidérée.

— Je suis ton employeur, oui ou non ?

Elle aurait pu partir sur-le-champ. Au lieu de cela, elle s'entendit grommeler :

— Je n'ai rien à me mettre.

— Nous irons demain matin chez Gautier, lança Judd.

Les yeux d'Angeline s'arrondirent.

— Chez Gautier ? Rien que ça ? s'exclama cette dernière.

— Judd, même avec un salaire comme celui que tu me verses, je ne peux pas me permettre de m'habiller chez Gautier, déclara Lise. Et il n'est pas question que tu m'achètes des vêtements.

Une fois avait suffi !

— Nous irons ensemble chez Gautier. Le sujet est clos.

Il la traitait comme une enfant rebelle. Etait-ce pour la punir de l'avoir dédaigné et de vouloir partir ? Lise s'apprêta à lui répondre vertement. Mais en voyant le petit visage crispé d'Emmy, elle se tut.

— Cette pauvre Lise ne sera pas du tout à sa place chez les Gagnon, fit Angeline.

— Ou nous y allons tous les trois ensemble. Ou tu y vas toute seule, fit Judd.

— Et qui s'occupera d'Emmy ?

— Maryann, évidemment. Je trouve que tu t'inquiètes beaucoup au sujet de ta fille, Angeline. C'est touchant.

Angeline n'avait jamais été sensible aux sarcasmes.

— C'est normal que je m'inquiète ! Emmy est ma fille autant que la tienne.

Avec ce sourire enjôleur qui lui avait valu tant de conquêtes, elle reprit :

— En souvenir du bon vieux temps, tu devrais m'emmener dîner avant le concert chez La Belle, Judd. C'était mon restaurant favori, tu t'en souviens ?

— Cela fait plus de six mois que La Belle a fermé. Demain, nous dînerons ici tranquillement.

— Il n'est pas sûr que je puisse obtenir une invitation pour Lise à la dernière minute.

— Dis que c'est moi qui la demande.

Avec ironie, il poursuivit :

— Parfois, mon nom permet d'ouvrir bien des portes. Et de toute façon, je connais Paul Gagnon depuis des années.

Lise ne disait plus rien. A quoi bon ? Elle ne comprenait pas le jeu de Judd, pourtant elle savait qu'il était inutile de lutter. Et comme elle se sentait lasse !

A la fin du déjeuner, elle accompagna Emmy en haut car l'enfant devait prendre ses affaires de gymnastique. Pendant que la petite fille se lavait les mains, elle descendit.

Judd et Angeline ne l'avaient pas entendue. Debout près d'une baie vitrée, ils discutaient avec animation. Soudain, Angeline attira la tête de Judd vers elle et l'embrassa.

Lise demeura figée sur place. Elle avait cru être piquée par la jalousie quand Marthe lui avait montré le classeur contenant les photos de Judd. Ce n'était rien en comparaison de ce qu'elle ressentait en cet instant. La douleur qu'elle éprouvait lui semblait intolérable.

Emmy dévala l'escalier, son sac de sport à la main.

— Je vais être en retard. Papa peut m'emmener en voiture ?

Incapable de faire face à Judd après la scène qu'elle venait de surprendre, Lise fit oui de la tête puis s'éclipsa.

— Papa, tu peux m'emmener à l'école ? Je vais être en retard !

— Allons-y.

— Je vous accompagne, décréta Angeline.

Quelques instants plus tard, la porte d'entrée claqua : ils étaient partis tous les trois.

Le lendemain, après avoir conduit Emmy à l'école, Lise descendit dans le hall à 9 h 30 précises comme le lui avait demandé Judd. Elle portait le loden qu'elle réservait pour les grandes occasions, une jupe en tweed, un pull à col roulé et des bottes en cuir fauve. Même chez Gautier, Judd n'aurait pas honte d'elle.

Il haussa les sourcils en la rejoignant.

— Quelle élégance !

— Ne t'imagine pas que je fais ça par plaisir. Et n'essaie pas de me provoquer. Je peux partir quand je veux.

— Mais tu ne le feras pas. A cause d'Emmy.

— Tu profites toujours des points faibles des adversaires ? Il n'y a pas de quoi être fier.

D'un ton sarcastique, elle poursuivit :

— Bon, laissons les employés de Gautier me transformer. J'essaierai de te faire honneur ce soir.

Elle laissa échapper un rire sans joie.

— Judd Harwood et ses deux femmes !

— C'est ainsi que tu vois les choses ?

— Y a-t-il une façon de les considérer autrement ? Tu sais, hier, je t'ai vu embrasser Angeline.

— C'est elle qui m'a embrassé.

— En tout cas, tu ne l'as pas repoussée.

— Il faut croire que tu n'es pas restée assez longtemps.

— Pour vérifier que ta technique était la même pour toutes ?

— Attention, Lise ! Je serais capable de l'employer maintenant avec toi, ma fameuse technique !

— N'essaie pas.

Pour toute réponse, il l'enlaça et captura ses lèvres dans un baiser. En une fraction de seconde, la colère de Lise s'effaça pour faire place à un désir fou.

Quand Judd la relâcha, elle eut toutes les peines du monde à prendre un air dédaigneux.

— Ça, ce n'était pas de la technique, juste une démonstration de pouvoir.

Il haussa les épaules.

— Avec toi, j'ai toujours tort. Si je ne t'embrasse pas, c'est parce que je ne songe qu'à Angeline ; si je t'embrasse, c'est pour te prouver que je suis un don Juan.

Jamais Lise ne l'avait entendu parler avec une telle amertume. L'espace d'un instant, elle fut tentée de lui avouer qu'elle était enceinte. Elle y renonça immédiatement.

S'il savait qu'elle attendait un bébé de lui, il voudrait l'épouser. Elle était trop honnête pour lui faire un chantage à l'enfant.

— Bon, on y va ? lança-t-elle. Il faut que je sois de retour à temps pour aller chercher Emmy.

— Elle passe avant tout le reste, on dirait, fit Judd.

— Ce n'est pas pour m'occuper d'elle que tu m'as engagée ?

— Tu l'aimes ?

— Je… je ne peux pas me le permettre.

— Non, bien évidemment, puisque tu as l'intention de l'abandonner pour pouvoir mener ta vie à ta guise.

« Si tu pouvais me voir dans six mois, tu comprendrais pourquoi ! »

— Quelque chose te tracasse, Lise, reprit Judd après un silence.

— Pas du tout. Soit, tu m'agaces un peu… Mais à part ça, je n'ai pas le moindre souci, assura-t-elle d'un ton léger.

— Tu es absolument impossible.

— C'est parce que je suis rousse… De quelle couleur sera la robe que tu vas m'offrir, cette fois ?

— Je te préfère toute nue.

Cramoisie, Lise lui tourna le dos et sortit. La limousine attendait devant le perron et le chauffeur en uniforme se précipita pour leur ouvrir les portières.

Judd devait avoir donné des instructions pour perdre le moins de temps possible. Car dès qu'ils arrivèrent chez Gautier, ils furent immédiatement introduits dans un salon particulier où deux vendeuses les attendaient.

Lise s'enferma dans la cabine et, avec leur aide, passa le premier modèle. En lourde soie noire, entièrement drapé, il était extrêmement élégant.

Hélas, que cela plaise ou non à Lise, il lui fallait venir parader devant Judd.

Celui secoua la tête.

— Ce n'est pas ton genre.

Elle enfila ensuite un fourreau très moulant en lamé argent. L'étiquette qu'elle aperçut au passage lui donna un véritable haut-le-cœur.

Avant que Judd puisse dire quoi que ce soit, elle déclara :

— Je ne veux pas d'une tenue pareille. Je ne suis pas Marilyn Monroe.

— C'est un peu suggestif, admit-il. Tous les passants risquent de se retourner sur toi si tu sors dans la rue comme ça.

— Et puis je peux à peine marcher tant ce fourreau me serre. Je me demande même si je serais capable de m'asseoir.

Judd éclata de rire.

De retour dans la cabine, Lise décida de faire un effort. Au lieu de passer les uns après les autres les modèles que lui tendaient les vendeuses, elle allait faire elle-même son choix parmi tous ceux qui étaient suspendus sur un portant. Après avoir écarté d'autorité les blancs, les noirs, les pastels, les rouges et les orangés, elle décrocha une longue robe en moire verte avec des reflets saphir.

— Je vais essayer celle-ci.

Cette couleur lui conviendrait, elle en était sûre. Restait à vérifier si la forme lui irait. Elle n'avait pas l'habitude de porter de vêtements aussi étroits.

— Madame a bon goût.

Lise songea que cette remarque de la vendeuse signifiait probablement qu'elle avait choisi l'un des modèles les plus chers.

La robe, dont le haut était maintenu par d'étroites bretelles torsadées, semblait faite pour elle. Et même si la jupe était étroite, sa démarche n'était pas entravée car elle était fendue sur le côté.

Lorsqu'elle alla se montrer devant Judd, il n'hésita pas.

— C'est celle-ci qu'il te faut. Elle te va à la perfection.

Lise contempla son reflet dans l'un des miroirs. Elle y vit une femme élégante, sexy et extrêmement féminine.

Après cela, en dépit des protestations de Lise, Judd insista pour qu'ils aillent acheter des sandales, des sous-vêtements, ainsi que quelques produits de maquillage.

— Maintenant, faisons un petit tour chez Vaison.

— Le joaillier ? Pas question ! s'écria Lise.

— Mais si. La touche finale est aussi importante que le reste, dit Judd en l'entraînant presque de force.

— Bon, achète ce que tu veux, lâcha-t-elle, vaincue. Mais je te préviens : je ne garderai rien.

— Attends de voir ce que nous allons choisir.

Lise n'avait pas saisi pourquoi, chez Gautier, il avait demandé un échantillon de moire verte. Elle comprit ce qu'il avait en tête lorsqu'ils furent arrivés chez Vaison.

— J'aimerais un pendentif dans ces couleurs, annonça-t-il au vendeur en lui montrant l'étoffe. Avez-vous quelque chose de ce genre ?

— Nous avons exactement ce que vous cherchez, monsieur.

Après les avoir fait asseoir, on leur apporta un plateau tapissé de velours noir sur lequel étincelait un merveilleux pendentif. Au bout d'une chaîne d'or était fixée une émeraude en forme de poire qu'encadraient deux superbes saphirs.

— Parfait, décréta Judd.

Lise n'osait plus rien dire. En effet, elle savait que ce bijou irait à la perfection avec la robe qu'elle venait d'essayer.

— Il nous faudrait aussi des boucles d'oreilles assorties. Emeraudes ou saphirs.

— Je vais vous montrer ce que nous pouvons vous proposer, monsieur.

Pendant que le vendeur disparaissait dans la chambre forte, Lise chuchota :

— Tu es fou ! Tu crois que je pourrai porter des bijoux pareils quand je toiletterai un chien ou que je soignerai les chats malades ? Tu ne penses pas que tu as dépensé assez d'argent pour aujourd'hui ?

Judd demeura inflexible.

— Apprends, ma chère, que d'ordinaire les femmes ne discutent pas quand un homme leur offre des pierres précieuses.

— Judd, je ne veux pas que tu me fasses de cadeaux si précieux.

— Tu n'aimes pas ce pendentif ?

— Si, mais…

Elle s'interrompit brusquement, soudain à court d'arguments.

A quoi bon discuter, en effet ? Elle laissa donc Judd choisir. Et un peu plus tard, lorsqu'ils se retrouvèrent dans la rue, celui-ci déclara :

— Je t'ai pris un rendez-vous chez Stevens à 14 heures.

— Parce qu'il faut en plus que j'aille chez le coiffeur, maintenant ?

— Profites-en pour demander une manucure.

Lise baissa la tête.

— Judd, c'est trop. Tu ne te rends pas compte que toutes ces dépenses m'embarrassent ?

— En comparaison de ce que tu as fait pour Emmy, quelques émeraudes représentent bien peu de chose.

Il sourit.

— Ce qui me plaît, chez toi, c'est que mon argent te laisse complètement indifférente.

Un coup de vent ébouriffa les cheveux sombres de Judd. Il souriait toujours et la jeune femme se sentit fondre.

— Je tiens à ce que tu gardes le pendentif, Lise. Une émeraude et deux saphirs. Trois pierres — Emmy, encadrée par toi et moi.

« Nous ne formons pas un vrai couple, et encore moins une vraie famille. »

— Promets que tu le garderas, insista-t-il en la prenant par les épaules. Cela me ferait vraiment plaisir.

En proie à un trouble sans nom, elle hocha la tête.

— Je le garderai, s'entendit-elle dire.

Rien de tout cela n'avait de sens. Comment pouvait-elle accepter de coûteux présents de la part d'un homme qui ignorait qu'elle était enceinte de lui ?

Lise se sentit soudain envahie par une infinie tristesse. Judd lui offrait des bijoux, soit. Mais il n'était pâs d'amour entre eux, hélas ! Et il n'en serait jamais question.

12.

Après s'être préparée pour la soirée, Lise alla embrasser Emmy. L'enfant était pelotonnée dans son lit avec Plush. Où avait-elle mis le nouvel ours ? Lise ne le vit nulle part mais ne jugea pas utile de questionner la petite à ce sujet.

Emmy l'entoura de ses petits bras.

— Tu as l'air d'une princesse de conte de fées.

Celle qui allait à la rencontre de son prince charmant ? Malheureusement, celui-ci ne voulait pas d'elle ! A moins que sa nouvelle apparence ne le fasse changer d'avis ?

Une nouvelle fois, ses pensées s'égaraient. Furieuse contre elle-même, Lise se raidit. Elle ne voulait pas de Judd Harwood dans sa vie. D'ailleurs, elle ne l'aimait pas. Il n'y avait entre eux qu'un lien physique — et ceux-ci, tels les feux de paille, ne duraient jamais longtemps.

Elle se redressa. Dans cette robe, elle se sentait à son avantage. Mais elle n'était sûre d'elle qu'en apparence — la seule chose qui comptait, d'après Angeline.

Dans un geste instinctif, elle posa la main sur son ventre encore plat. L'enfant de Judd grandissait en elle... et ce dernier ne le saurait jamais.

— Papa aussi va trouver que tu as l'air d'une princesse, déclara Emmy avec émerveillement.

— Ta mère est bien plus belle que moi.

— Mais toi, tu es plus gentille, commenta l'enfant avec sincérité.

Lise se mordit la lèvre inférieure.

« Il faut absolument que je lui apprenne que je ne resterai pas. Demain, je lui parlerai », se promit-elle.

Avec un sourire forcé, elle déclara à voix haute :

— Je dois te laisser maintenant. Ton père m'attend.

L'enfant sauta hors du lit et glissa sa petite main dans la sienne.

— Je descends avec toi.

Lise se sentit déchirée. En très peu de temps, Emmy avait pris beaucoup de place dans son cœur, et la perspective de devoir la faire souffrir lui fendait le cœur. Il allait être très pénible de lui dire au revoir. Un au revoir qui serait en réalité un adieu.

Judd et Angeline se trouvaient déjà dans le hall. Judd portait un smoking à la coupe parfaite. Quant à Angeline, avec sa robe en lamé argent qui faisait paraître ses cheveux platines encore plus pâles, elle avait *vraiment* l'air d'une princesse de contes de fées.

— Lise, tu es superbe ! commenta Judd avec entrain.

Médusée, Angeline la regardait descendre l'escalier.

— C'est vrai, tu es superbe, admit-elle à son tour. Je parie que c'est Judd qui a choisi ta robe.

— Non, c'est moi.

Les yeux d'Angeline s'arrêtèrent sur le pendentif. Elle arbora alors l'expression d'une petite fille rêvant de s'approprier un jouet appartenant à une autre. Mais, comme l'avait souvent dit Judd, Angeline n'était pas vraiment méchante. Et ce fut avec sincérité qu'elle déclara :

— Ma mère se trompait. Tu n'es pas ordinaire, tu es très jolie.

134

Lise, qui était loin de s'attendre à ce compliment, murmura un bref remerciement.

Angeline abaissa son regard sur sa fille.

— Tu viens m'embrasser, Emmy ? Mais surtout, fais attention de ne pas salir pas ma robe.

Poliment, la petite fille leva son visage vers sa mère. Angeline déposa un petit baiser sur sa joue avant de se redresser.

— Allons-y. Nous devons aller chercher ma mère et il ne faut surtout pas la faire attendre.

Lorsque Lise vit sa tante, vêtue de satin d'un bleu aussi glacé que son expression, elle regretta de ne pas se trouver bien au chaud dans son lit en train de regarder la télévision. Marthe adressa un bref signe de tête à Judd avant de s'extasier devant la robe d'Angeline. Ses yeux s'arrêtèrent un instant sur la robe de Lise, puis sur le pendentif. Elle détourna alors la tête d'un air choqué, feignant de ne plus connaître sa nièce.

Les Gagnon habitaient une vaste demeure datant du début du siècle, dont la construction — qui incluait des tours crénelées, des piliers, des arches — avait tout du château fort... Lise, qui avait déjà remarqué cette demeure et l'avait trouvée ridicule, ne changea pas d'opinion en la voyant de plus près.

La décoration intérieure, luxueuse et sans âme, ne trouva pas davantage grâce à ses yeux.

En revanche, les Gagnon les accueillirent très chaleureusement. Leur fils unique, Roland, un grand blond à l'allure sportive, embrassa Angeline, et salua Judd avec froideur avant de se tourner vers Lise.

— Alors vous êtes la petite cousine d'Angeline ? Je me demande pourquoi on vous avait cachée jusque-là !

Sur ce, il l'entraîna d'autorité vers la salle où devait avoir lieu le récital. Des chaises dorées s'alignaient devant une estrade sur laquelle était installé un grand Steinway noir.

— Asseyons-nous au fond, ce sera moins ennuyeux.

135

— Vous n'aimez pas la musique classique ?

— C'est bon pour les vieux. Une fois le récital fini, on empilera les chaises et un orchestre viendra jouer des valses viennoises. Mais, heureusement, ma mère a prévu de la musique disco pour les jeunes dans le grand salon du fond. Que diriez-vous de danser ensemble ?

— Si vous voulez. Depuis quand connaissez-vous ma cousine ?

— Je l'avais rencontrée à New York, avant qu'elle n'aille vivre en France. Et vous, que faites-vous dans la vie ?

— Je travaille pour Judd Harwood.

— Vraiment ?

— Je m'occupe de sa fille.

Marthe s'assit à côté des Gagnon au premier rang. Judd et Angeline ne se quittaient pas. Si Roland Gagnon n'avait pas eu la bonne idée de venir tenir compagnie à Lise, elle se serait sentie très seule.

Pendant que le pianiste saluait avant de s'asseoir devant le clavier, Lise jeta un coup d'œil au programme qu'on lui avait remis à l'entrée. Elle adorait la musique et haussa les sourcils en voyant le nom du soliste international qui se produisait ce soir-là chez les Gagnon.

Il interpréta des œuvres de Beethoven, Liszt et Chopin et fut très applaudi.

— Ouf, c'est fini ! fit Roland à mi-voix. Maintenant, les choses sérieuses peuvent commencer.

Au moment où il allait entraîner Lise vers l'arrière de la maison où se réunissaient les jeunes, Judd se matérialisa devant eux et tendit une coupe de champagne à la jeune femme.

Un petit orchestre de variétés s'installait sur l'estrade à la place du pianiste. Voyant que Judd et Lise étaient ensemble, Marthe les sépara d'autorité. Angeline en profita pour prendre la main de Judd.

— On danse ? murmura-t-elle au moment où résonnaient les premiers accords d'une valse.

Pendant que des serveurs en veste blanche passaient entre les groupes, proposant des plateaux chargés de délicieux canapés, Judd et Angeline valsaient.

Le cœur de Lise se serra. Ils formaient un si beau couple !

— Angeline est très en beauté, dit-elle à sa tante.

Comme un coup de tonnerre, Marthe annonça alors :

— Elle a quitté son mari et revient habiter au Canada. Judd et elle vont se remarier, pour Emmy.

A cette nouvelle, Lise faillit lâcher son verre de jus de fruit.

— C'est formidable qu'ils se soient retrouvés, réussit-elle à dire d'une voix étranglée.

Les larmes lui vinrent aux yeux. Terrassée par la souffrance, elle baissa la tête.

Angeline et Judd allaient donc vivre de nouveau ensemble ? Avec Emmy, ils allaient reconstituer la famille qu'ils étaient à l'origine ? Heureusement qu'elle n'avait pas annoncé à Judd qu'elle était enceinte !

Roland la rejoignit sur ces entrefaites.

— Vous venez danser de l'autre côté ? C'est autrement plus vivant qu'ici !

— J'arrive. Laissez-moi deux minutes.

Elle descendit aux toilettes et, à deux mains, agrippa le lavabo, tandis que tout tournait autour d'elle. C'était bien la pire soirée de sa vie, et elle aurait donné cher pour pouvoir s'enfuir ! Ou se terrer dans un trou de souris. Malheureusement, aucune de ces parades n'était possible. Il ne lui restait plus qu'à faire face.

Au prix d'un effort surhumain, elle réussit à se reprendre. Et elle alla danser avec Roland au rythme d'une musique assourdissante. Alors qu'elle aurait préféré cent fois — mille fois ! — valser dans les bras de Judd.

Mais Judd n'était-il pas perdu pour elle ?

Elle le retrouva un peu plus tard près d'un somptueux buffet. Il paraissait furieux.

— Où étais-tu passée ?

— Je dansais avec Roland.

Judd ignora ce dernier, en train d'empiler sur son assiette d'énormes crevettes grillées.

— Viens avec moi, ordonna-t-il.

— Va plutôt danser avec Angeline.

— J'ai valsé avec Angeline, j'ai valsé avec Marthe, j'ai valsé avec Mme Gagnon et deux de ses sœurs. Maintenant, c'est ton tour.

— Je ne veux pas danser avec toi, lâcha-t-elle entre ses dents. Ce n'est pas parce que tu m'as acheté une robe que je te dois quoi que ce soit.

Sans douceur, il la saisit par le poignet et l'entraîna presque de force. Elle aurait bien voulu résister, mais l'endroit était mal choisi pour faire une scène. Bon gré, mal gré, elle fut donc bien obligée de suivre Judd.

Lorsque les accords des guitares électriques parvinrent à ses oreilles, elle s'immobilisa.

— Tu veux danser ? Allons-y.

Sur ces mots, elle l'entraîna dans la salle du fond, où des haut-parleurs diffusaient une musique presque assourdissante, avec des basses si fortes qu'elles faisaient trembler les verres.

En face de Judd qui ne la quittait pas des yeux, Lise se mit à danser comme jamais auparavant.

« Une danse d'adieu », pensa-t-elle tandis que tout son corps s'agitait à un rythme déchaîné.

Lorsque les guitares électriques se turent, Judd l'enlaça et l'embrassa à pleine bouche. Oubliant les sinistres prédictions de Marthe, Lise fondit contre lui, lui rendant son baiser avec une ardeur passionnée. Seul cet homme était capable de déchaîner une telle tempête de sentiments en elle.

138

Quelques sifflements retentirent. Brusquement revenu à l'instant présent, Judd laissa retomber ses bras.

— Tu es content ? lança Lise. On a dansé. Maintenant, tu peux retourner près d'Angeline.

— Et si je ne voulais pas ?

Elle haussa les épaules.

— Fais ce que tu veux. Quant à moi, j'ai bien l'intention de vivre ma vie à ma guise.

L'expression de Judd changea.

— Tu parles sérieusement, Lise ?

Elle parvient à garder son sang-froid.

— Oui. Demain, j'annoncerai à Emmy que je ne peux pas rester.

Sans un mot, Judd tourna les talons et s'éloigna.

Cette fois, il ne reviendrait pas, Lise le savait. Il allait retourner auprès d'Angeline qui, elle, l'accueillerait les bras ouverts.

Lise redescendit se réfugier aux toilettes, mais se rendit bien vite compte qu'elle ne pouvait pas y passer toute la soirée. Il lui fallait remonter, affronter la foule, partir…

Elle était très pâle quand Roland la trouva un peu plus tard dans le hall.

— Vous partez ? demanda-t-il. Quel dommage ! La fête bat son plein.

— Je ne me sens pas bien. J'ai… la migraine. Ça ne vous ennuie pas d'appeler un taxi ? Inutile de prévenir Judd.

— De toute façon, il est déjà parti avec Angeline.

— Chez Marthe Charbonneau ?

— Oh, non ! Angeline ne rentrait pas chez sa mère. Et je la comprends… Parce qu'on ne peut pas dire que cette dernière soit commode.

— Judd…

— Il a accompagné Angeline à son hôtel.

A ces mots, tout se mit à tourner autour de Lise.

— Vous n'avez pas l'air bien, commenta Roland avec sollicitude. Je téléphone à un taxi. Vous vous sentez capable de rentrer seule ?

Roland Gagnon, ce séducteur impénitent, semblait avoir compris que ses efforts pour conquérir Lise ne le mèneraient à rien. Il songeait sans doute qu'il valait mieux chercher une fille moins compliquée.

Lise réussit à lui sourire.

— Oui, ne vous inquiétez pas. De toute façon, il faut que vous restiez : vous vous devez aux invités de vos parents.

La grande maison de Judd était silencieuse. Sur la pointe des pieds, Lise entra dans la chambre d'Emmy. À la lumière d'une veilleuse, elle vit la petite fille qui dormait profondément à côté de Plush.

Son cœur se serra. Comme elle aimait cette enfant ! Cette enfant dont elle avait sauvé la vie. Cette enfant qui avait bouleversé la sienne de fond en comble…

Lise était cependant bien lasse et ne tarda pas à regagner sa propre chambre. Elle s'empressa d'ôter la robe trop élégante, les sandales coûteuses, les boucles d'oreilles… En dépit de tous ses efforts, elle ne parvint pas à ouvrir le fermoir de sécurité du pendentif.

Qu'allait-elle faire maintenant ? Se mettre au lit ? Dormir ? Etant donné l'état d'énervement et de désespoir dans lequel elle se trouvait, inutile d'y songer !

Pourquoi n'irait-elle pas marcher ? Un peu d'exercice lui ferait peut-être oublier Judd qui, en ce moment, était certainement en train de faire l'amour à Angeline.

Après avoir enfilé un jean, un gros pull et sa parka, elle sortit. Il s'était mis à pleuvoir mais elle n'en avait cure.

Elle descendait l'allée d'un bon pas. Le vent faisait craquer sinistrement les branches des grands arbres. Les yeux clos, Lise tendit son visage vers les gouttes de pluie. Elle pouvait se croire au bord de l'océan. Il lui sembla même entendre le bruit des vagues.

Tout à coup, un violent crissement de freins se fit entendre. Une portière claqua. Lise ouvrit les yeux et les referma, éblouie par la lumière trop vive des phares.

Judd se mit à jurer.

Judd… la dernière personne au monde qu'elle souhaitait voir !

13.

Sans réfléchir, Lise se mit à fuir, droit devant elle, sous les grands arbres du parc. Son pied se prit dans une racine. Elle trébucha, faillit tomber. Il n'en fallut pas davantage pour qu'elle reprenne ses esprits.

Le bébé ! Elle n'allait tout de même pas risquer de le perdre en faisant une mauvaise chute dans les bois !

Judd la rattrapa sans peine.

— Idiote ! lança-t-il avec colère. J'aurais pu te tuer. En voilà une idée de se promener en pleine nuit, sans même une lampe de poche !

— Angeline se trouve dans ta voiture, je suppose. Où l'emmènes-tu ? Dans ta chambre ? Dans ton lit ?

A ces mots, Judd la prit par les épaules et la secoua sans douceur.

— Il est bien question d'Angeline ! Tu ne te rends pas compte que j'ai failli t'écraser ?

— C'est ta faute. C'est la faute d'Angeline.

— Tu es folle !

— Si Angeline n'était pas revenue dans ta vie, les choses se seraient peut-être passées différemment.

Elle se mit à sangloter.

— Je… je n'ai même pas pu me sauver quand tu t'es lancé à ma poursuite. C'est trop dangereux pour moi de courir dans le noir. Et maintenant, je… je dois m'en aller d'ici.

Elle avait conscience de l'apparente incohérence de ses propos. Ses pleurs redoublèrent.

— Demain, il… il faudra que j'annonce à Emmy que… que je dois partir et qu'elle ne me reverra plus. Quant à toi, je… j'aurais voulu ne jamais me retrouver en ta présence.

— Je ne comprends pas, déclara Judd, perplexe. Tu n'as pas peur du noir, quand même ? Pas toi ! Ni du vent, ni de la pluie, ni de rien. Et tu ne peux pas courir quand il fait nuit ? Pourquoi ?

Ivre de désespoir, Lise n'avait plus rien à perdre. Elle décida de lui dire la vérité.

— Parce que je suis enceinte.

— Quoi ?

— Je suis enceinte, répéta-t-elle. De toi.

— Tu ne prenais pas la pilule quand nous étions à la Dominique ? demanda-t-il avec stupeur.

— Je n'en avais pas besoin : il n'y avait pas d'homme dans ma vie.

— Dave…

— Un copain. Rien de plus.

— L'autre nuit, quand nous avons failli faire l'amour, tu m'as dit ne rien avoir à craindre.

— Evidemment : j'étais déjà enceinte.

— Alors c'est à cause de cela que l'autre jour, tu t'es à moitié évanouie.

— Ça peut arriver aux femmes dans mon état. Mais ne t'inquiète pas, Judd. Je ne te demande rien. Je me débrouillerai. Tu n'as qu'à m'oublier.

D'une voix pleine d'amertume, elle ajouta :

— Dans les bras d'Angeline.

Un coup de vent très violent s'abattit sur les arbres dont les branches se mirent à dégoutter d'eau sur eux. Judd attira alors Lise contre lui, la protégeant sous l'imperméable qu'il portait sur son smoking.

Elle se débattit de toutes ses forces, lui martelant la poitrine à coups de poings.

— Laisse-moi ! Laisse-moi tranquille ! Ne me touche pas. Je te déteste ! Tu entends ? Je te déteste.

De force, il voulut l'entraîner vers la voiture. Mais elle continuait à se débattre.

— Laisse-moi, te dis-je ! Si tu crois que je vais accepter de monter dans ta voiture avec Angeline !

Il explosa.

— Tu m'ennuies avec elle, à la fin ! Si tu veux savoir, elle se trouve actuellement à son hôtel…

Après un soupir de lassitude irritée, il demanda :

— Bon, tu viens de ton plein gré ou il faut que je te porte ?

— Je suis peut-être enceinte, mais ça ne m'empêche pas de marcher.

Son corps demeurait intact mais son cœur était brisé. Souvent, elle s'était imaginée annonçant à Judd qu'elle attendait son enfant. Dans ses rêves, il la serrait contre lui avec joie, tout en promettant de l'aimer toujours. Exactement comme dans les contes de fées.

La réalité n'avait pas grand chose à voir avec cette vision des choses idyllique.

Une fois dans la voiture, il lança d'un ton rogue :

— Tu n'as jamais cru un mot de ce que je te racontais, n'est-ce pas ?

— Pourquoi l'aurais-je fait ?

Judd claqua la portière. Quelques minutes plus tard, ils pénétraient dans le hall. Après le froid de la nuit et la pluie battante, la maison paraissait merveilleusement accueillante à la jeune femme.

144

— Tu es trempée, fit remarquer Judd en avisant les chaussures de Lise.

— Je suis gelée.

— Monte, je vais te faire couler un bain.

Mais elle ne voulait pas bouger avant d'en savoir plus.

— Pourquoi es-tu parti avec Angeline ?

— Ce n'est pas le moment de discuter. Tu veux attraper une pneumonie ?

— Tu vas l'épouser de nouveau ?

Il eut une exclamation excédée, tout en la poussant à avancer vers l'escalier.

— Moi ? Epouser de nouveau Angeline ? Qu'est-ce qui pourrait bien justifier une chose pareille ?

— Emmy. Il lui faut un vrai foyer.

— Angeline et moi avons été mariés une fois. Ça m'a large-ment suffi. Tu ne sais donc pas qu'Emmy considère désormais sa mère comme une étrangère ? C'est toi qu'elle aime, c'est de toi dont elle a besoin.

— Tu ne vas pas te remarier avec Angeline ?

— Mais sur quel ton faut-il te dire qu'il n'en a jamais été question ?

— Marthe m'avait dit qu'Angeline venait de quitter son mari et qu'elle allait t'épouser pour... pour qu'Emmy retrouve une vraie famille.

— Et bien sûr, au lieu de m'écouter, moi, tu préfères ajouter foi aux dires de cette langue de vipère de Marthe Charbonneau !

Une fois dans la chambre de Lise, Judd alla lui faire couler un bain. Puis, comme elle claquait des dents, il l'aida à se débarrasser de ses vêtements mouillés. Lorsqu'elle voulut l'en empêcher, il fronça les sourcils.

145

— Tu me détestes à ce point ? Je ne peux même plus te toucher ?

— Je ne sais pas, murmura-t-elle. Je ne sais plus.

— Une fois que tu seras réchauffée, dit-il d'une voix neutre, tu tâcheras de dormir un peu.

Sans mot dire, Lise alla s'enfermer dans la salle de bains et se déshabilla complètement.

Elle se glissa doucement dans la baignoire et, peu à peu, sentit ses membres engourdis revivre.

Mais ce n'étaient pas seulement son corps qui se réchauffait. Son cœur aussi s'était rempli d'espoir et d'allégresse. Car Judd n'avait aucune intension de se remarier avec Angeline comme elle l'avait cru.

Pourquoi refuser plus longtemps de voir la réalité en face ? Elle aimait Judd. Elle l'avait toujours aimé et l'aimerait toujours.

Sans perdre une seconde, elle sortit de la baignoire et s'enveloppa d'une serviette. Sur sa peau nue, le pendentif étincelait.

Lorsqu'elle le rejoignit dans la chambre, Judd leva les yeux et la fixa d'un air morne.

— Ça va mieux ?

— Oui.

Une lueur passa dans ses yeux gris.

— Tu portes toujours le pendentif.

— Je n'ai pas réussi à ouvrir le fermoir de sécurité.

Les épaules de Judd parurent s'affaisser.

— Ah, c'est pour ça que tu l'as gardé…

— Judd, j'ai besoin de savoir. Que s'est-il passé ce soir avec Angeline ? Pourquoi es-tu allé à son hôtel ?

En rougissant, elle poursuivit :

— Et que penses-tu du fait que… que je porte ton enfant ?

Elle retint sa respiration, attendant une réponse à ses questions. En quelques enjambées, Judd la rejoignit.

— Tu ne t'es pas séchée.

146

— C'est sans importance. Dis-moi pour Angeline, je t'en prie ! Pourquoi êtes-vous partis si vite ?

— Tu te souviens quand j'ai dansé avec toi ?

— Bien sûr.

— Lorsque je t'ai quittée, elle est arrivée en courant pour me dire qu'Emmy venait de tomber dans l'escalier, qu'elle s'était fait mal et me réclamait.

— Mon Dieu !

— Elle avait déjà appelé un taxi pour que nous nous rendions auprès de la petite. Tu penses bien que je n'ai pas hésité une seconde. Mais une fois dans la voiture, je me suis soudain rendu compte que nous roulions dans la direction opposée.

Il haussa les épaules.

— Tu peux deviner la suite ! La chute d'Emmy n'existait que dans l'imagination d'Angeline. C'était un prétexte qu'elle avait trouvé pour me faire venir à son hôtel et commencer sa campagne de séduction.

— Quand Roland m'a annoncé que vous étiez partis ensemble, je me suis sentie… désespérée.

— Et c'est pour ça que tu es allée te promener en pleine nuit sous la pluie, au risque d'attraper une pneumonie ?

Il laissa échapper un rire dur.

— Roland ! A une certaine époque, c'était l'amant d'Angeline.

Emmy comprenait maintenant pourquoi les deux hommes s'étaient à peine salués.

— Henri, le second mari d'Angeline, vient de demander le divorce. Un divorce qui sera prononcé aux torts d'Angeline, si bien qu'elle n'aura pas un sou.

— Angeline ? En tort ?

— Henri l'a jetée dehors quand il a découvert qu'elle le trompait avec son meilleur ami. Comme elle tient par-dessus tout à mener une existence luxueuse, elle s'est dit qu'elle trouverait bien le moyen de renouer avec moi.

— Sous prétexte de donner un foyer à Emmy…

— Exactement.

— Marthe était sûre que sa fille réussirait à te reconquérir.

— Eh bien je ne suis pas preneur. C'est toi que je veux, Lise. Nous allons nous marier.

A ces mots, elle se sentit glacée.

— A… à cause de l'enfant ?

— Il est certain que ce bébé a besoin d'un père.

— Oui. Mais si ses parents ne s'aiment pas…

— Tu ne m'aimes pas ?

Elle lui fit face.

— Toi non plus. Si tu m'épouses parce que je suis enceinte, tu le regretteras vite. Tu penseras que je t'ai tendu le piège le plus banal qui soit, que tu es stupidement tombé dedans, que…

— Lise, vas-tu te taire ? s'écria-t-il.

Il la prit par les épaules.

— Je n'ai jamais vu une femme aussi têtue. Tu refuses de m'écouter, tu refuses de comprendre ce qui, pourtant, devrait te crever les yeux ! Tu es donc aveugle ?

— Mais…

— Lise, tu as complètement bouleversé mon existence. Je suis tombé amoureux de toi à l'instant où je t'ai vue sur ton lit d'hôpital. Je t'aime et je veux t'épouser.

— Ce… ce n'est pas à cause du bébé ?

— C'est d'abord parce que je t'aime.

Il soupira.

— Malheureusement, cet amour n'est pas réciproque !

— Quoi ?

— Tu es peut-être aveugle, mais moi, je ne suis pas sourd. Tout à l'heure, quand nous étions dans le parc, sous la pluie, tu m'as dit que tu me détestais.

— Ce n'est pas vrai. Je t'aime, Judd.

Il l'enlaça avec fougue.

— Tu... tu m'aimes ? Vraiment ? Répète-le.

— Je t'aime, je t'aime, je t'aime, je t'aime...

Et comme pour conclure cette énumération, leurs lèvres se rencontrèrent dans le plus passionné des baisers.

— Je suis si heureuse, murmura Lise lorsqu'elle reprit son souffle. Si heureuse que j'ai peur que tout cela ne soit qu'une illusion ! Je vais me réveiller pour découvrir qu'il s'agissait d'un rêve.

Judd lui effleura le bout du nez d'un baiser.

— Oh, non, ce n'est pas un rêve. Demain, tu verras, quand tu te réveilleras, tu seras dans mes bras !

Épilogue

Ce fut la sonnerie du réveil qui, le lendemain matin, tira Lise d'un profond sommeil.

Au moment où elle tendait la main pour interrompre la sonnerie, elle s'aperçut qu'elle était nichée dans les bras de Judd. Ce dernier resserra son étreinte.

— Bonjour, ma belle. Tu as bien dormi ?

— Très peu. C'est ta faute !

— Je n'ai pas beaucoup dormi non plus.

En riant, il lui retourna l'accusation.

— C'est ta faute !

Tout en déposant une pluie de baisers sur le visage de Lise, il demanda :

— Tu m'aimes encore ?

— Plus que jamais.

— Je passerais bien la matinée au lit avec toi. Mais le devoir nous appelle : il faut conduire Emmy à l'école.

Après une brève pause, il poursuivit :

— Emmy va devenir *notre* fille. Ses tentatives de séduction ayant échoué, Angeline souhaitera probablement retourner en Europe, car elle a beaucoup plus d'amis là-bas que de ce côté de l'Atlantique.

Il hésita.

— Tu seras donc la belle-mère d'Emmy. Qu'en dis-tu ?

— Cela me fait infiniment plaisir, affirma Lise avec chaleur. Je l'aime déjà comme si elle était ma fille.

Judd lui caressa la joue avec tendresse.

— Je n'en attendais pas moins de toi. Nous lui annoncerons tout à l'heure que nous allons nous marier.

Emmy était déjà à table, le nez dans son bol de céréales, quand Lise arriva dans la salle à manger.

L'enfant leva la tête.

— Bonjour ! C'était bien, hier ?

« Hier » ? Lorsque Lise se revit dans les bras de Judd, elle devint écarlate. Puis elle se souvint de la soirée chez les Gagnon.

— Oui, c'était très réussi.

Le petit visage d'Emmy s'assombrit.

— Ma copine Charlene m'a téléphoné ce matin. Le spectacle de l'école doit avoir lieu le 15 juin. Ma classe prépare un ballet.

Avec inquiétude, elle demanda :

— Tu seras encore là, Lise ?

— Oui. Et je serais ravie de t'applaudir. A ce propos, nous avons quelque chose à t'annoncer…

Soudain intimidée, elle se tourna vers Judd. Celui-ci prit l'enfant par les épaules.

— Emmy, que dirais-tu si Lise et moi décidions de nous marier ? Comme cela, Lise ne partirait plus jamais.

Les grands yeux bleus de la fillette allèrent de l'un à l'autre.

— Vous allez vous marier ? Pour de vrai ?

— Absolument, répondit Judd.

— C'est génial ! Quand je vais annoncer ça à Charlene…

Sans même terminer sa phrase, Emmy se précipita dans les bras de Lise. Cette dernière sentit ses yeux s'embuer.

— Qu'est-ce que je suis contente ! insista la petite fille, ravie. Et peut-être même qu'un jour j'aurai un petit frère ou une petite sœur ? J'aimerais bien. La mère de Charlene a eu un bébé, il est si mignon !

— Je crois que nous pourrons nous arranger, nous aussi, pour avoir un bébé assez vite, déclara Judd, pince-sans-rire.

— C'est vraiment super, alors ! Au fait, je pourrai être demoiselle d'honneur ?

— Bien sûr, dit Judd. Le mariage devrait avoir lieu très vite. Dans une quinzaine de jours au plus. Qu'en dis-tu, Lise ?

Cette dernière glissa la main dans celle du seul homme qui avait jamais compté pour elle.

— Je te laisse décider, fit-elle dans un souffle.

— Tous les camions de pompiers de la ville pourraient peut-être venir défiler ? suggéra Emmy. Ce serait très beau !

Judd parut horrifié.

— En fait, Emmy chérie, ce sera un mariage très intime, avec un minimum d'invités. Et sans pompiers en grand uniforme…

Emmy parut déçue.

— Dommage.

Mais déjà, son sourire revenait.

— Si j'ai un petit frère, j'espère qu'il aura des cheveux comme les tiens, Lise.

— Nous verrons, répondit la jeune femme en souriant.

Quand Matthew-Judd Harwood naquit sept mois et demi plus tard, il était déjà doté d'une superbe houppette de cheveux couleur flamme.

Chère lectrice,

Vous nous êtes fidèle depuis longtemps?
Vous venez de faire notre connaissance?

C'est pour votre plaisir que nous avons
imaginé un rendez-vous chaque mois
avec vos auteurs préférés, vos
AUTEURS VEDETTE dans les
collections Azur et Horizon.

Les **AUTEURS VEDETTE** vous
donneront rendez-vous pour de
nouveaux livres vedette.

Pour les reconnaître, cherchez
l'étoile ... Elle vous guidera!

Éditions Harlequin

HARLEQUIN

LE FORUM DES LECTEURS ET LECTRICES

CHERS(ES) LECTEURS ET LECTRICES,

VOUS NOUS ETES FIDÈLES DEPUIS LONGTEMPS?

VOUS VENEZ DE FAIRE NOTRE CONNAISSANCE?

SI VOUS AVEZ DES COMMENTAIRES, DES CRITIQUES À
FORMULER, DES SUGGESTIONS À OFFRIR, N'HÉSITEZ
PAS... ÉCRIVEZ-NOUS À:
       LES ENTERPRISES HARLEQUIN LTÉE.
       498 RUE ODILE
       FABREVILLE, LAVAL, QUÉBEC.
       H7R 5X1

C'EST AVEC VOS PRÉCIEUX COMMENTAIRES QUE NOUS
ALLONS POUVOIR MIEUX VOUS SERVIR.

DE PLUS, SI VOUS DÉSIREZ RECEVOIR UNE OU
PLUSIEURS DE VOS SÉRIES HARLEQUIN PRÉFÉRÉE(S)
À VOTRE DOMICILE, NE TARDEZ PAS À CONTACTER LE
SERVICE D'ABONNEMENT; EN APPELANT AU
(514) 875-4444 (RÉGION DE MONTRÉAL) OU 1-800-667-4444
(EXTÉRIEUR DE MONTRÉAL) OU TÉLÉCOPIEUR
(514) 523-4444 OU COURRIER ELECTRONIQUE:
AQCOURRIER@ABONNEMENT.QC.CA OU EN ÉCRIVANT À:
       ABONNEMENT QUÉBEC
       525 RUE LOUIS-PASTEUR
       BOUCHERVILLE, QUÉBEC
       J4B 8E7

MERCI, À L'AVANCE, DE VOTRE COOPÉRATION.

BONNE LECTURE.

HARLEQUIN.

VOTRE PASSEPORT POUR LE MONDE DE L'AMOUR.

COLLECTION
HORIZON

Des histoires d'amour romantiques qui vous mènent au bout du monde!

Découvrez la passion et les vives émotions qu'apportent à la Collection Horizon des auteurs de renommée internationale!

Captivantes, voire irrésistibles, ces histoires d'amour vous iront assurément droit au coeur.

Surveillez nos trois nouveaux titres chaque mois!

GEN-H-R

HARLEQUIN

COLLECTION
ROUGE PASSION

- Des héroïnes émancipées.
- Des héros qui savent aimer.
- Des situations modernes et réalistes.
- Des histoires d'amour sensuelles et provocantes.

LAISSEZ-VOUS TENTER
par 3 titres irrésistibles
chaque mois.

RP-1-R

69 L'ASTROLOGIE EN DIRECT
TOUT AU LONG
DE L'ANNÉE.

(France métropolitaine uniquement)
Par téléphone 08.92.68.41.01

0,34 € la minute (Serveur SCESI).

Composé et édité
PAR LES ÉDITIONS HARLEQUIN
Achevé d'imprimer en octobre 2003

BUSSIÈRE

GROUPE CPI

à Saint-Amand-Montrond (Cher)
Dépôt légal : novembre 2003
N° d'imprimeur : 35186 — N° d'éditeur : 10185

Imprimé en France